Астрель
Полиграфиздат

Художники
А. М. Савченко
Л. П. Дурасов

Г. ЦЫФЕРОВ

КАК ЛЯГУШОНОК ИСКАЛ ПАПУ

*Сказки
и маленькие сказочки,
сказочные истории,
рассказы, повесть*

АСТРЕЛЬ
ПОЛИГРАФИЗДАТ
Москва

УДК 821.161.1
ББК 84(2Рос=Рус)6
Ц97

Редакция благодарит Людмилу Цыферову
за предоставленные материалы

Рисунок на обложке *А. М. САВЧЕНКО*
Серийное оформление *А. ЛОГУТОВОЙ*
(ISBN 978-5-271-31289-2)
Компьютерный дизайн обложки *А. БАРКОВСКОЙ*
(ISBN 978-5-271-38662-6)

Цыферов, Г.

Ц97   Как лягушонок искал папу: сказки и маленькие сказочки, сказочные истории, рассказы, повесть / Г.М. Цыферов; ил. А.М. Савченко, Л.П. Дурасов. – М.: Астрель: Полиграфиздат, 2012. – 366, [2] с.: ил.

ISBN 978-5-271-31289-2 (Астрель) (Внекл. чтение)
ISBN 978-5-4215-2885-2 (Полиграфиздат)
ISBN 978-5-271-38662-6 (Астрель) (Детская классика)
ISBN 978-5-4215-2884-5 (Полиграфиздат)

УДК 821.161.1
ББК 84(2Рос=Рус)6

Подписано в печать 24.10.2011.
Формат 84x108/ 32. Бумага офсетная. Печать офсетная.
Гарнитура Школьная. Усл. печ. л. 19,32.
(Внекл. чтение). Тираж 3 000 экз. Заказ № СК 3471.
(Детская классика). Тираж 3 000 экз. Заказ № СК 3470.

Общероссийский классификатор продукции
ОК-005-93, том 2; 953000 — книги, брошюры

ДОБРЫЕ СКАЗКИ
ГЕННАДИЯ ЦЫФЕРОВА

«Для ребёнка в сказке должно быть зло», — писала М. Цветаева. Так всегда и было: и в народной и в авторской сказке. Было добро, и было зло. Добро всегда торжествовало. Зло было побеждено. С этой точки зрения сказки Г. Цыферова — совершенно особые. «Зло» в них отсутствует.

Если вы когда-нибудь смотрели мультфильм про паровозик из Ромашково, значит, вы уже знаете, что нельзя пройти мимо первых ландышей или пропустить мимо ушей первую песенку соловья. Если видишь прекрасное, если видишь красивое, остановись и насладись этим чудом, которое подарила тебе природа. Это не просто слова, адресованные каждому, кто спешит, ничего вокруг не замечая. Это завещание доброго сказочника, поэта и философа, который учил детей и взрослых острее видеть и внимательнее слушать — Геннадия Михайловича Цыферова.

Обыденное он представлял необычайным, а примелькавшееся — удивительным и прекрасным. Эта присущая Г. Цыферову способность есть, в сущности, основа поэзии, поэтического восприятия мира.

Однажды на пороге издательства «Детский мир» (теперь издательство «Малыш») появился шумный, большой, весёлый Геннадий Цыферов. Он принёс десятка два коротеньких сказок. Книга вышла. Сказки отличались свежестью, новизной образов. Свежие ассоциации при всей своей новизне казались естественными и даже как будто ожидаемыми: красно-зелёный помидорчик — это светофор; журавлик долго стоит на одной ножке, потому что забыл, что у него есть вторая; звёзды на небе для мышонка — это кошкины глаза.

Были сказки странные (алогичные): *«Вышел звёздной ночью гулять ослик. Увидел в небе месяц. Удивился: «А где же ещё половинка?» Пошёл искать. В кусты заглянул, под лопухами пошарил. Нашёл её в саду, в маленькой лужице. Посмотрел и тронул ножкой — живая».* Маленький читатель, услышав такую сказку, спешит объяснить, что в луже отражение Луны, а не Луна.

Человеком, сближающим далёкие понятия по внешнему сходству и по созвучию, писателем, заставляющим своих героев по незнанию делать абсурдные, внешне алогичные действия, немного философом, и ещё художником, живущим в мире ярких, красочных сочетаний, зарекомендовал себя Г. Цыферов своей первой книгой «Как лягушки чай пили».

Сказка за сказкой появлялись в печати, и казалось, что Г. Цыферов окончательно нашёл свой стиль, ему даже стали подражать. Но в новых книгах автор представал перед читателем по-новому. Чем больше работал Г. Цыферов, тем сильнее проявлялась в его сказках мысль о том, что только добро может породить добро. Например, ею пронизана история про медвежонка, которого хотел съесть крокодил: *«Я сильно испугался, и мне, как всегда, захотелось, громко крикнуть: «Мама!» Но от испуга я перепутал и вдруг сказал: «Ам-ама».*

Здесь уж испугался крокодил и тоже перепутал. Вместо грозного «ам-ам-ам» он сказал мне «мама».

Так мы с ним и разговаривали: я ему говорил грозно «ам-ама», а он мне грустно... «мама».

Потом крокодилу стало стыдно. Он густо покраснел и уполз в синюю речку. Было ужасно смешно: такой большой, такой солидный крокодил и такой глупый. А может быть, он вовсе не большой? Ведь бывает и так: большой, большой, а сам — маленький».

Если сначала для Г. Цыферова весёлые нелепицы, путаницы и алогизмы были главной целью творчества, то дальше, от книжки к книжке главным становится духовный рост персонажей под влиянием добра и красоты. Так постепенно автор пришёл к своему жанру: сказке, построенной не на конфликте добра и зла, а на разрастании ростков добра в цветущий сад духовной гармонии.

Та же атмосфера доброты и в «Сказках старинного города». Лучшая глава там — эпилог книжки. В нём и лирика, и доброта, и раздумье.

«А однажды я влюбился в старинного человека, который сказал так:

— Ветер вернулся, чтобы погасить последнюю свечу.

Хорошее слово — вернулся. Например, солнышко не взошло, а вернулось.

Вернулось к тебе, значит, оно доброе.

И звёзды тоже добрые. Всякий раз они возвращаются на небо.

Нет, это не сказка. Просто я хочу, чтобы ты любил людей и думал о них. Когда думаешь о человеке, он как бы вновь возвращается к тебе. Входит в твою комнату, садится за стол, го-

ворил с тобой. Так вернулись ко мне эти старинные люди. И пусть всегда твои друзья и твои знакомые будут с тобой».

Г. Цыферов баснословно много читал, превосходно знал историю, в особенности Средневековье, XVIII век, эпоху французской революции. Наверное, поэтому люди, жившие столетия назад, воспринимались им как живые лица, реальные собеседники, с которыми он соглашался или спорил.

Это уже не озорная сказка. Став серьёзней и глубже, Г. Цыферов не отказался от неожиданных сравнений и сопоставлений, лепых нелепиц, в которых есть своя логика. Всё это присутствует и в последующих книгах.

Когда Г. Цыферов стал писать познавательные книги, казалось, что его «другая логика» должна мешать. Как же так — сказочник и поэт — и вдруг книги о космосе, о Земле, климате, смене дня и ночи, и времени года, и о многом-многом другом, о чём под силу рассказать только тому, кто в этом сам хорошо разбирается, и к тому же ещё очень-очень по-детски. Но это так. Г. Цыферов действительно написал несколько познавательных книг: «Что у нас во дворе?», «Пятнадцать сестёр», «В гостях у звёзд», «Серьёзные рассказы плюшевого Мишки» и другие.

Первой попыткой были «Живые марки». И сразу стало ясно, что сказочник Г. Цыферов может написать для ребёнка любую книгу, даже самую сложную по теме. Обо всём он умел рассказать просто и понятно. И, прежде всего, умел заинтересовать маленького читателя. Но чем можно привлечь внимание ребёнка, как не рассказом о необычном: о лесе на ножках, о мостах из лиан,

8

о странах, где нет зимы и весны, а только лето и осень, о стуке барабанов, оповещающих о событии жителей окрестных деревень, о том, как у Красной реки растёт красное дерево, и о странах, где есть хлебное дерево и галошное дерево.

Прожил Г. Цыферов совсем немного, всего 42 года. Родился в 1930 году в Свердловске. А корни его в Вятке. Окончил Пединститут им. Н. К. Крупской. Работал в интернате. Преподавал литературу и был воспитателем. Много писал. В основном для маленьких: сказки, пьесы, сценарии мультфильмов.

О нём писали и знали мало. Быть может, отчасти потому, что в книжках своих он был негромок: так, примостившись где-нибудь в уголке, беседует с маленьким ребёнком о его делах и заботах — вполголоса, чтобы не привлекать суетного внимания взрослых.

«Земля наша не только крутится вокруг себя. Она ещё любит путешествовать и ежегодно объезжает вокруг Солнца!

Дорога длинная, длинная. Земля спешит, даже наклонилась. Поэтому Солнце согревает усиленно вначале северную половину шара, потом южную. Вот смотри: сейчас Солнышко меня согревает. Мне жарко, у меня лето.

А у моего бедного друга ослика зима, и у него замёрзли уши, и он надел на них варежки.

А через полгода всё наоборот...

Вот так и ездим мы от зимы к лету. От лета к зиме.

Честно говоря, когда я был совсем маленьким, я не раз шептал Земле: «Остановись, остановись, пусть всегда у меня будет зелёное лето!»

Но она так и не остановилась.

А сегодня я уже понимаю — это правильно. Добрая Земля наша любит всех одинаково: и меня, и ослика, и тебя. Для каждого должно быть лето и зима».

Рассказ о вращении Земли у Г. Цыферова такой, как будто бы он делится с ребёнком тем, что ему самому посчастливилось узнать. Он узнал, что Земля подчиняется тем же законам любви и справедливости, что и все люди.

Г. Цыферов готовился обратиться и к взрослым. И уже начал писать для них. В этой книге вы найдёте несколько военных рассказов и короткую повесть, написанных удивительно чистым, ярким и каким-то необычным, совершенно особенным голосом: «Эх, эх, эх», «Прекрасные страны», «Маша-Мария», «Военный оркестр», «Весна будет всегда». Но писателем для взрослых он так и не стал, потому что в декабре 1972 года пришла смерть и оборвала его работу. Но в детской литературе он уже занял место, которое до него пустовало, — и занял навсегда.

Миниатюры Г. Цыферова — это созданный им особый жанр детской литературы, приобщающий ребёнка к самым, пожалуй, важным из тех ценностей, которые мы называем человеческими.

Мир Г. Цыферова, пронизанный добром, — не выдуман, хотя и достаточно далёк от реального; ведь сказка всегда была сильна своею «далёкостью» от реальных будней жизни. Благодаря этой «далёкости» она всегда выражала великую правду, которая заключается в том, что если мир стоит до сих пор, то только потому, что опирается на добро; и в этом его глубинный порядок, который не может быть разрушен.

ПАРОВОЗИК ИЗ РОМАШКОВО

Сказки

КТО КОГО ДОБРЕЕ

Кто кого сильнее, кто кого страшнее —
вот о чём вчера спорили весь день звери.
Вначале они думали:
всех страшнее,
всех сильнее —
БОДАСТАЯ УЛИТКА.

Потом решили:
нет,
всех страшнее,
всех сильнее —
ЖУЧОК-РОГАЧОК.

После жучка-рогачка
всех страшнее,
всех сильнее —
КОЗЛИК.

За козликом —
БАРАН —
БЕЙ В БАРАБАН.

За бараном
с барабаном —
БЫК — РОГАМИ ТЫК.

За быком —
НОСОРОГ-КОСОРОГ.

А за носорогом, а за косорогом всех страшнее, всех сильнее — КЛЫКАСТЫЙ СЛОН.

Так и сказали звери слону:

— Ты, слон, самый сильный! Ты, слон, самый страшный!

Но слон обиделся.

— Конечно, — кивнул он, — я самый сильный. Но разве я самый страшный и самый злой? Неправда!

Слоны добрые.

Прошу, пожалуйста, мною никого не пугать.

Я очень люблю всех маленьких!

ПАРОХОДИК

Ты знаешь, где живут зимой речные пароходики?

Они грустят в тихих бухтах и гаванях о добром лете.

И вот однажды такой пароходик до того загрустил, что забыл, как надо гудеть.

Наступило лето. Но пароходик так и не вспомнил, как надо гудеть. Поплыл он вдоль берега, встретил щенка и спрашивает:

— Вы не знаете, как надо гудеть?

— Нет, — сказал щенок — Я лаю. Хочешь, научу? ГАВ-ГАВ!

— Что вы, что вы! Если я буду говорить «ГАВ-ГАВ!», все пассажиры разбегутся.

Поплыл пароходик дальше. Встретил поросёнка и спрашивает:

— Вы не знаете, как надо гудеть?

— Нет, — сказал поросёнок, — я умею хрюкать. Хочешь, научу? ХРЮ-ХРЮ!

— Что вы, что вы?! — испугался пароходик. — Если я буду говорить «ХРЮ-ХРЮ!», все пассажиры рассмеются.

Так и не научили его щенок и поросёнок гудеть. Стал пароходик у других спрашивать.

Рыжий жеребёнок сказал: «ИГО-ГО-ГО!» А зелёный лягушонок — «КВА-КВА-КВА!»

Совсем пароходик приуныл. Уткнулся носом в берег и засопел. И вдруг видит: сидит на бугорке маленький мальчик и грустит.

— Что с тобой? — спросил пароходик.

— Да вот, — кивнул мальчик, — я маленький, и меня все, все учат. А я никого не могу научить.

— Но если ты не можешь никого ничему научить, то мне незачем тебя спрашивать...

Пароходик пустил задумчивое облачко дыма и хотел уже плыть дальше, как вдруг услышал:

— Ду-ду-дуу!

— Кажется, что-то гудит? — сказал он.

— Да, — ответил мальчик, — когда мне грустно, я всегда играю на своей дудочке.

— Кажется, я вспомнил! — обрадовался пароходик.

— Что ты вспомнил? — удивился мальчик.

— Я знаю, как надо гудеть! Ду-ду-ду-у! Это ты научил меня!

И грустный мальчик весело засмеялся.

А пароходик загудел на всю реку:

— Ду-у-у-у!

И все мальчики и пароходики на реке ответили ему:

— ДУ-У-У-У-У!!!

ОБЛАЧКОВОЕ МОЛОЧКО

Ах, как в этот день было жарко! От жары цветы поникли, травка пожелтела. Подумал-подумал лягушонок, взял ведёрко и куда-то пошёл.

На лугу он встретил корову.

— Хочешь, я дам тебе молочка? — спросила корова.

— Нет, — ответил лягушонок и пошёл дальше.

На полянке он встретил козочку.

— Хочешь, я дам тебе молочка? — спросила козочка.

— Нет, — квакнул опять лягушонок и пошёл ещё дальше.

Долго шёл лягушонок, размахивая ведёрком.

И, наконец, увидел он синие горы. На их вершинах жили пушистые белые облака.

Подозвал лягушонок самое маленькое облачко и сказал ему:

— Дай мне, пожалуйста, немножко молочка!

Ничего не ответило облачко, только вздохнуло громко. Заглянул лягушонок в ведёрко, а там — буль-буль! — молочко!

Вернулся домой лягушонок и говорит:

— А я облачковое молочко принёс!

— Какое же это облачковое молочко? Это просто голубой дождик. Кто же его пить будет?

— Как кто, — ответил лягушонок, — а цветочки махонькие?

И он напоил цветы и травку парным облачковым молочком. Ещё и муравьишке осталось.

ЖИЛ НА СВЕТЕ СЛОНЁНОК

Жил на свете слонёнок.

Это был очень хороший слонёнок. Только вот беда: не знал он, чем ему заняться, кем быть. Так всё сидел слонёнок у окошка, сопел и думал, думал...

Однажды на улице пошёл дождь.

— У-у! — сказал промокший лисёнок, увидев в окошке слонёнка. — Ушастый какой! Да с такими ушами он вполне может быть зонтиком!

Слонёнок обрадовался и стал большим зонтиком. И лисята, и зайчата, и ежата — все прятались под его большими ушами от дождя.

Но вот дождь кончился, и слонёнок снова загрустил, потому что не знал, кем же ему всё-таки быть. И снова он сел у окошка и стал думать.

Мимо пробегал зайчик.

— О-о! Какой прекрасный длинный нос! — сказал он слонёнку. — Вы вполне могли бы быть лейкой!

Добрый слонёнок обрадовался и стал лейкой. Он полил цветы, траву, деревья. А когда поливать больше было нечего, он очень опечалился...

Ушло на закат солнце, зажглись звёзды. Наступила ночь.

Все ежата, все лисята, все зайчата улеглись спать. Только слонёнок не спал: он всё думал и думал, кем же ему быть?

И вдруг он увидел огонь.

«Пожар!» — подумал слонёнок. Он вспомнил, как совсем недавно был лейкой, побежал к реке, набрал побольше воды и сразу потушил три уголька и горящий пень.

Звери проснулись, увидели слонёнка, поблагодарили его за то, что он потушил огонь, и сделали его лесным пожарником.

Слонёнок был очень горд.

Теперь он ходит в золотой каске и следит за тем, чтобы в лесу не было пожара.

Иногда он разрешает зайчику и лисёнку пускать в каске кораблики.

ОДИНОКИЙ ОСЛИК

В лесу, в лесном доме, жил одинокий ослик. Друзей у него не было. И вот однажды одинокий ослик очень заскучал.

Скучал он так, скучал — и вдруг слышит:

— Пи-пи, здравствуй! — Из-под пола вылез маленький мышонок.

— Я — мышонок, — ещё раз запищал он, а потом сказал: — Я пришёл потому, что ты скучаешь.

И тут они, конечно, подружились.

Ослик был очень доволен. И всем в лесу говорил:

— А у меня есть друг!

— Что это за друг? — спросил сердитый медвежонок. — Небось что-нибудь маленькое?

Подумал одинокий ослик и сказал:

— Нет, мой друг — большой слон.

Большой слон? Конечно, никто не поверил ему. И поэтому у домика ослика скоро собрались все звери. Они сказали:

— А ну, показывай нам своего друга!

Одинокий ослик уже хотел сказать, что его друг ушёл по грибы.

Но тут вышел мышонок и ответил:

— ДРУГ ОСЛИКА — ЭТО Я.

— Ха-ха! — захохотали гости. — Если это большой слон, то одинокий ослик — просто большой обманщик.

А ослик — большой обманщик вначале покраснел. А потом улыбнулся:

— Нет, это всё-таки слон, только не простой, а волшебный. Сейчас он превратился в маленького. Большому в доме тесно. Даже нос приходится в трубу прятать.

— Похоже на правду, — кивнул сердитый медвежонок, взглянув на трубу. — Но я бы не хотел быть маленьким.

— Он тоже не хотел быть маленьким, — сказал ослик. — Но он очень любит меня и хочет жить всегда со мной.

— Ах, — вздохнули все звери, — какое доброе животное!

Попрощавшись, они ушли. С той поры никто в лесу не обижал маленьких. Только все говорили:

— Даже самый маленький может быть большим другом. Даже бо́льшим, чем самый большой слон!

ИСТОРИЯ ПРО ПОРОСЁНКА

Жил на свете очень маленький поросёнок. Каждый этого поросёнка обижал, и бедный поросёнок совсем не знал, у кого ему искать защиты. И так этому поросёнку надоело, что его обижают, что однажды он решил уйти куда глаза глядят.

Взял поросёнок мешочек, взял дудочку и пошёл. Идёт себе по лесу, а чтобы не скучно было, в дудочку дудит. Но разве уйдёшь далеко на четырёх копытцах?

Весь день шёл поросёнок — и даже из леса не вышел. Сел на пенёк и грустно-грустно задудел в дудочку:

«Вот я
          глупый какой.
                              И зачем иду?»

И только он сказал эти слова, как за пеньком: «Ква-ква!» Лягушонок! Прыгнул лягушонок на пенёк и говорит:

— И в самом деле, глупый ты человек, поросёнок! Ну и зачем идти? Не лучше ли плыть в какой-нибудь лодочке?

Подумал поросёнок, подудел в дудочку и сказал:

— Ах, наверное, правда!

Пришёл он тут к реке и стал искать лодочку. Искал, искал, а лодочки нет. И вдруг видит корыто. В нём старушка бельё полоскала. Да оставила. Шлёпнулся поросёнок в корыто, загудел в дудочку и поплыл.

Вначале по ручейку, потом по речке, а затем и в огромное море выплыл. Плывёт он, значит, по морю. А рыбы удивляются, хохочут:

— Что это? Вроде пароход, раз гудит. Но почему, почему же у него уши?

— Эх! — сказал кит. — Да, наверное, просто очень умный. Просто очень вежливый. Другие пароходы просто сами трубят. А этот тоже трубит, но и других слушает.

А потому все рыбы и киты ему помогали, путь указывали. Кто носом, а кто хвостом. Но все вперёд толкали. Так и плыл. Плыл пароход. И вдруг — прекрасный зелёный остров! Причалил пароход к острову. А все звери вышли его встречать.

— Кто такой? — спросил его полосатый зверь и поклонился.

— А что, вы не знаете меня?!

— Нет, — говорит полосатый. — Вот первый раз видим.

И маленький поросёнок схитрил:

— Я — самый главный в своей стране. Меня зовут ПОРОСЁНОК.

— А здесь — я самый главный, — отвечает полосатый. — Как же нам быть, если мы оба главные?

— А ничего, — улыбнулся поросёнок, —

я же гость, значит, ты и так будешь самым главным, а я твоим помощником.

Тигр кивнул, и с той поры впервые в жизни поросёнок зажил спокойно. Все его слушали и уважали.

А если кто не слушался, то стоило поросёнку достать дудочку, как враг тут же убегал.

Да-да. Ибо такого рычания боялись все. И даже сам тигр часто вздрагивал, когда поросёнок играл на дудке.

Наверное, поросёнок и пожил бы там ещё, но тут почему-то его вновь потянуло на родину. Взял поросёнок письмо от тигра, сел в корыто и поплыл.

Опять кричали рыбы: «Эй, умный пароход!» И опять дельфины и киты помогали ему плыть.

Но вот вновь ручей, старенький мост, лужайка.

— Никак, я дома, — сказал поросёнок.

— Да-да, — ответил ему козлёнок. — А где ты был всё это время? Мне так хотелось пощекотать тебя рожками!

— К сожалению, — улыбнулся хитрый поросёнок, — теперь это делать нельзя. Разве ты не знаешь, кто я? Читай! — Тут поросёнок подал козлёнку письмо, и тот прочитал:

— «Моему главному помощнику дарю свою нарисованную лапу».

Козлик, конечно, испугался. А потом испугались остальные: барашек, телёнок, белочка. И никто никогда больше не обижал уже поросёнка. Каждый думал: «А что скажет тигр?»

НАДО ПОДУМАТЬ

Лежали на высоком диване два яичка. Их грело солнышко. И с боку на бок переворачивал ветер. Потом из одного яичка вылез цыплёнок.

— Доброе утро, — сказал он солнышку.

Солнышко улыбнулось. А бойкий цыплёнок подошёл к другому яичку и... тюкнул носом.

— Эй, ты, вылезай!

— Надо подумать, — ответил строгий голос.

— И чего думать, — возмутился первый цыплёнок. — Такая хорошая погода.

— Ну и что, — ответил второй. — Думать всё-таки надо. Зачем же нам голова?

— Не знаю, не знаю, — затараторил первый цыплёнок. — Пошли лучше гулять.

И они пошли по горке, по тропинке, по зелёному лугу. Шли, шли — и вдруг увидели хлебную крошку.

— Что такое?! — закричал первый.

— Надо подумать, — ответил второй.

— Чего тут думать? — первый клюнул, а второй — второй остался без завтрака.

Миновали братья луг, горку. Ручей звонкий... Первый цыплёнок разбежался и перепрыгнул. А второй всё думал — и придумал мостик. Да упал с него.

— Вот видишь, — сказал бойкий братец, — если бы ты не думал, как я, всё было бы в порядке.

И тут они вышли к морю.

— Поплыли, что ли? — сказал первый.

— Постой, надо подумать. Видишь, на берегу пустая коробка?

— Да, — сказал цыплёнок.

— Если к этой коробке приделать из листка парус, получится прекрасный корабль.

Вот так они и поплыли.

Бойкий братец всё пробовал кукарекать и махал прутиком. Он, видите ли, пас китов. А киты, как это ни странно, были даже довольны. Их никогда никто не пас. Но тут...

Тут подули холодные ветры. Счастливые киты сказали «до свидания» и поплыли обратно в тёплые моря. А у цыплят увял парус. И волны понесли их к холодному острову. Потом большая волна поднялась к небу и выкинула их на берег.

— Что делать?! — закричал на берегу первый цыплёнок.

— Надо подумать, — сказал второй.

— Такой холод, а ты ещё о чём-то хочешь думать. Ты просто дурачок. — И шустрый цыплёнок убежал.

Весь день, чтобы согреться, он бегал по голому острову взад и вперёд.

Ну, а второй цыплёнок? Тот, что любил думать? Что же делал он?

А вот что. Подумал, подумал — и из коробки-кораблика смастерил себе дом. А потом сел и стал смотреть в окошко. А за окошком было холодно, летели белые холодные снежинки.

— Можно? — В дверь постучали, и вошёл бойкий цыплёнок.

Клювик у него дрожал от холода, и он походил на снежный ком на двух ножках.

— Я, — сказал заикаясь бойкий цыплёнок и посмотрел на крышу, — я всё-таки подумал...

— Ты подумал? — удивился второй.

— Да, — сказал первый, — я всё-таки подумал. На дворе холодно. А у тебя в доме лучше. Ты молодец!

С тех пор братья жили дружно. Бойкий цыплёнок понял: иногда надо всё-таки думать.

А иначе — зачем же нам голова? Не только ведь кукарекать!

ТЕЛЁНОК

Если вы очень хотите с ним познакомиться, то смотрите: вот он какой? Белый комочек с головой, а с двух сторон четыре соломинки воткнуты.

Да только сейчас я хотел рассказать тебе совсем не о том, как он выглядит. Просто в тот день был очень хороший день. Светило солнце, качались цветы на лугу. А телёнок всё прыгал, всё играл. Так что даже спать не хотелось. А когда лёг, то сказал: «Ладно, ладно, но завтра обязательно доиграю, допрыгаю».

И мы часто говорим так.

Но завтра была совсем другая погода. Дул холодный ветер, шёл холодный дождь. И все голубые цветы закрылись зелёными платочками. А телёнок погрустил, погрустил и решил: «Если вчера было тепло и красиво, значит, мне просто надо его опять найти».

Вот так он и пошёл искать вчерашний день. Пришёл к зайцу, постучал в его домик. Выглянул заяц, голубой зонтик открыл и не спеша ответил:

— Нет, хоть я и бегаю всюду, но где спрятался вчерашний день, право, малыш, не знаю.

И потопал телёнок к медвежонку. Вылез из своей берлоги, заросшей лопухами, бурый медвежонок, раскрыл зелёный зонтик и тоже не спеша ответил:

— Нет, мой брат, хоть я и топаю много, но тот вчерашний день, извини, не видел.

Так никто и не смог сказать телёнку, где он, красивый вчерашний день. Только разноцветными зонтиками все качали. А потом вечер пришёл. И тогда решил телёнок спросить о том у мудрой совы. Хлопнула сова оранжевыми крыльями, сверкнула зелёными глазами и ответила тихо:

— Друг мой, ещё никто в мире не знает, куда уходят вчерашние дни.

Совсем опечалился телёнок. Сел под сосну, закрыл глаза и уснул от горя. А чёрные тучи небо закрыли.

Но вот, наконец, проснулся телёнок. И что же? Опять весёлое солнце светит и голубые цветы на лугу качаются. И закричал он тогда радостно:

— Смотрите, звери, я всё-таки нашёл это красивое вчера!

— Нет, — сказала ему сверху сова, — друг мой, это не вчера, это сегодня.

— Но как же так, — замычал телёнок, — ведь я искал только вчерашний красивый день?!

— Ну конечно, — кивнула сова, — да только кто ищет красивое вчера, всегда находит только сегодня. Не правда ли, мой друг? Потому и хорошо жить на свете.

Телёнок ответил: «Му-му», что по-нашему значит: «Да-да, конечно».

«АХ, АХ!»

Было это так... Однажды один слонёнок из розовой мыльной пены шарики надувал.

А один такой шарик совсем-совсем большой вышел. И в нём к вечеру на закате прекрасная картина вдруг появилась... Алый замок с высокими башнями.

А к нему через ров резной мост перекинулся. На том голубом мосту зелёная карета с золотыми колокольчиками.

А потом в окнах замка разноцветные музыканты появились и стали дуть в золотые трубы.

Это было так удивительно, что слонёнок посмотрел, послушал и не выдержал: пошёл друзей звать. Пришёл к тигрёнку и говорит:

— Пойдём смотреть. У меня такое чудо есть!

Пришли. Смотрят, а в шарике перед замком на зелёном лугу уже танцуют. И совсем не люди, а голубые цветы с капельками росы.

Тогда слонёнок просто онемел от восторга. А тигрёнок... Обошёл вокруг шарика, развёл лапами и вздохнул:

— Ах, ах! Как это прекрасно!

И шарик тут же лопнул, а сказочные картины исчезли совсем. Ни замка, ни музыкантов, ни кареты. И стало очень грустно. Тигрёнок закрыл лицо лапами, а добрый слонёнок, подумав, сказал:

— Ну конечно, ты не виноват! И всё-таки тебе не надо было вздыхать так громко. Ведь всё прекрасное так нежно и рушится от одного нашего «ах».

КИТЁНОК

Жил в одном море китёнок. И не просто китёнок. Нет, нет! Он мечтал обязательно сделать что-нибудь совсем удивительное. Ну, чтобы потом про него сказали: «Ах, какой замечательный, какой удивительный китёнок живёт у нас в море!»

И что только он ни делал ради того, чтобы прославиться. Даже на хвост становился и шёл так по волнам, точно акробат в цирке.

Однако ни старые морские львы, ни дельфины — никто этому не удивлялся. Они лишь качали головами и говорили:

— Ну, что ж. Китёнок ещё совсем маленький. Повзрослеет и не будет так себя вести.

А китёнок в ответ на такие разговоры ещё пуще сердился.

И вот однажды он решил сделать что-нибудь уж совсем удивительное. Надул живот и вдруг — взлетел в небо.

Вначале он, конечно, испугался, но, подумав, сказал себе: «Ну, теперь все обязательно удивятся».

И в самом деле, вскоре, когда китёнок летел над каким-то городом, над каким-то домом, там на балкон вышел мальчик. Он надул щёки и закричал:

— Ах, ах, какое чудо!

Так бы, наверное, и кричал весь день. Но тут на балконе появился его дедушка. Он взглянул на китёнка и сказал тихо:

— И ничего удивительного, мой мальчик. Это же дирижабль. Лет семьдесят назад, правда, удивлялись. Но теперь же есть самолёты, ракеты. Сегодня он — просто устаревшее чудо.

...Устаревшее чудо?! Устаревшее чудо?! После этого оставалось лишь одно: никогда больше не летать. И... китёнок плюхнулся на какую-то поляну. Так он и лежал там среди травы. Вздыхал. Сопел. А маленькие лягушата, желая успокоить его и развеселить, скакали вокруг. Но китёнок вздыхал и сопел всё громче.

И тогда прибежал заяц.

— Что с тобой? — спросил он китёнка. — Может, у тебя насморк?

— Какой насморк?! — рассердился китёнок. — Горе у меня! Я хотел всех удивить, а что получилось — устаревшее чудо. Дирижабль!

— Ну ладно, не расстраивайся. Я тебе помогу, — пообещал заяц. — Раз ты дирижабль, тебе нужна корзина. Но сегодня мы не будем катать в ней людей. Сегодня она нужна для другой цели.

Так говорил заяц китёнку днём.

А поздно вечером над тихим городом вновь появился дирижабль. Он пролетел над площадями и улицами и точно облако повис над тем домом, где жил мальчик. Потом осторожно опустил ему на балкон корзину лесных ягод.

Однако мальчик уже спал.

Но всё это — и дирижабль, и корзину — увидел дедушка. И очень удивился:

— Конечно, он очень старомоден, этот дирижабль, но он так добр — и это чудо!

И тут в небе впервые улыбнулся китёнок. Он понял: главное чудо — это доброе сердце.

ПРО СЛОНЁНКА И МЕДВЕЖОНКА

В этой сказке все спорят. А больше всех, конечно, слонёнок и медвежонок.

Вот о том-то я и хочу рассказать. Итак, слушайте.

Не помню точно, когда это было: не то в субботу, не то в воскресенье. Одним словом, был прекрасный день. А потом был прекрасный вечер, и вот в тот прекрасный вечер медвежонок как раз пришёл к слонёнку в гости.

— Здравствуй, — сказал он слонёнку. — Я давно не видел тебя. Не правда ли, какой прекрасный вечер!

— Ты так думаешь? — удивился слонёнок. — Нет, прекрасный вечер — это тогда, когда идёт дождь и можно топать по лужам. Вот так! — И тут слонёнок показал, как надо топать по лужам.

Конечно, мишка и сам любил топать по лужам, но в этот раз он не согласился. Потому что вечер действительно был прекрасный. В небе свечками горели звёзды, в кустах пели соловьи, а ночные бабочки, не разобрав в темноте, опускались прямо на медвежьи уши, принимая их за мохнатые лепестки.

Поэтому мишка и не согласился со слонёнком. Он просто осторожно взял его за хобот и потащил в сад показать звёзды и послушать соловья.

Но упрямый слонёнок сказал:

— Вообще-то меня очень трудно удивить.

— Трудно удивить?! Ну хорошо же, — и медвежонок решил удивить слонёнка, чего бы это ему ни стоило.

Он обхватил голову лапами, сел на пенёк и стал думать:

«А что, если надуть большой-большой шарик и прилететь на нём к слону в гости?»

Конечно, это хорошо, но вдруг он опять скажет:

«Этот шарик просто толстый пузырь. Нашёл чему удивляться».

«А что, если показать ему первый ландыш или первый листок?» Нет, это тоже его не удивит. И он, конечно, скажет: «Их скоро будут тысячи. Ха-ха-ха-ха!»

И совсем уже было отчаялся мишка, да вдруг вспомнил. Ну как же? Слонёнок любит облака и одуванчики. Облака потому, что они похожи на слонов. Ну, а одуванчики... они ведь похожи на маленькие облачка на зелёных ножках. И слонёнок часто нюхает их.

Медвежонок пошёл в слоновый сад и сказал тихо большому тополю:

— Осыпь, осыпь меня, пожалуйста, белыми большими серёжками. Сегодня, наконец, я хочу удивить и рассмешить слонёнка.

И большой тополь конечно же встряхнул ветвями — и полетел пух. Он летел хлопьями, гроздьями. Казалось, целый душистый снегопад обрушился на медвежонка! Вскоре он укрыл медвежонка так, что не было видно даже его хвостика.

А медвежонок закрыл глаза и сладко уснул в том душистом стогу.

Прокукарекал утром петух, взошло солнышко. И на крылечко вышел слонёнок. Он потянулся, вздохнул, огляделся вокруг. И ахнул... Да-да, там, в глубине сада, рос невиданно большой одуванчик!

— Ох! Неужели, — удивился слонёнок, — могут быть такие одуванчики? — От счастья слон закрыл глаза и вдохнул одуванчиковый запах.

Но когда он вновь открыл глаза — чуть не лопнул от злости. Перед ним стоял медвежонок, а на его ушах, на хвостике был белый-белый пух. Слон икнул, отвернулся и уже опять хотел сказать что-то скучное.

Но медвежонок улыбнулся:

— Не надо, не надо притворяться, слон. Я же сам слышал, что ты удивился.

— Да-да, — кивнул слон. — Я, медвежонок, часто удивляюсь, только стесняюсь сказать.

Ну вот и всё.

Что я хотел сказать, вы, наверное, поняли. Не всякий скучный — скучен. Быть может, он просто стесняется. И ему надо помочь. Ну хотя бы стать ради этого большим одуванчиком.

КАК ОТДЫХАЛ
ПОДЪЁМНЫЙ КРАН

Целую неделю работали на стройке два подъёмных крана.

А когда настал выходной день, решили они поехать за город — за высокий холм, за голубую речку, за зелёную поляну — отдохнуть.

И только расположились подъёмные краны на мягкой траве среди душистых цветов, как притопал на поляну маленький медвежонок и жалобно попросил:

— Я уронил в речку моё ведёрко. Пожалуйста, достаньте мне его!

— Ты же видишь, я отдыхаю, — сказал один подъёмный кран.

А другой ответил:

— Ну что ж, ведёрко достать — не стены ставить.

Поднял подъёмный кран ведёрко, отдал медвежонку и подумал: «Теперь и отдохнуть можно». Да не тут-то было.

Прискакал на полянку зелёный лягушонок:

— Уважаемые подъёмные краны, пожалуйста, прошу вас, спасите моего братца! Он прыгал, прыгал — и запрыгнул на деревце. А слезть не может.

— Но я ведь отдыхаю! — ответил лягушонку один кран.

А другой сказал:

— Ну что ж, лягушонка спасти — не груз нести.

И снял с дерева озорного лягушонка.

— Бре-ке-ке-ке! Ква-ква! Какой добрый подъёмный кран! — заквакали благодарные лягушата и пустились наперегонки к болотцу.

— Так ты никогда не отдохнёшь! — заскрипел один подъёмный кран.

— Отдохну! — весело ответил другой и положил свою длинную стрелу на сосновую ветку.

— Ах! — воскликнула рыжая белочка — хозяйка сосны. — Как хорошо, что вы ко мне заглянули!

Целое лето я собирала на зиму грибы. А поднять в дупло корзину не могу. Пожалуйста, помогите мне!

— Ну что же, — с готовностью ответил подъёмный кран. — Корзину поднять — не вагон разгружать.

Поднял кран корзинку с грибами и поставил прямо в белочкино дупло.

— Спасибо! Большое спасибо, милый подъёмный кран! Вы мне так помогли!

— Ну что вы! — смущённо ответил подъёмный кран. — Это такие пустяки!

Теперь подъёмный кран мог и отдохнуть. Да только пора было собираться в обратный путь, домой. Наступил вечер.

Провожать подъёмные краны пришли зелёные лягушата, маленький медвежонок и рыжая белочка. Стрелу подъёмного крана украшал букет ярких полевых цветов — подарок лесных зверушек.

— Ну как вы отдохнули? — спросил у подъёмных кранов их друг — бульдозер.

— Я, — ответил один подъёмный кран, — весь день сидел на травке, ничего не делал, но почему-то очень устал. Спина болит, всё скрипит.

— А я отдохнул прекрасно! — сказал другой. И дал понюхать бульдозеру полевые цветы.

— А я и не знал, что ты любишь цветы! — улыбнулся бульдозер.

— А я и сам не знал! — воскликнул добрый кран и рассмеялся.

ПАРОВОЗИК ИЗ РОМАШКОВО

Все паровозы были как паровозы, а один был странный. Он всюду опаздывал.

Не раз паровозик давал честное, благородное слово: никогда больше не смотреть по сторонам. Однако всякий раз начиналось то же. И вот однажды начальник станции ему строго сказал: «Если вы ещё раз опоздаете... То...» И паровозик всё понял и загудел: «Поооооследнееее чессееестноеее, благородное словооово».

И странному паровозику поверили в последний раз.

Тук-тук — ехал он по дороге. Заметил жеребёночка, хотел поговорить, но вспомнил о честном, благородном слове — и поехал дальше. Много ли ехал, мало ли, но ни разу, ни разу не оглянулся. И вдруг голос из леса. Фьють... Вздохнул паровозик, подумал ещё раз, и в лес направился.

А пассажиры выглянули в окно и, заметив лес, стали кричать:

— Безобразие, мы же опоздаем.

— Конечно, — сказал паровозик. — И всё-таки на станцию можно приехать и позже. Но если мы сейчас не услышим первого соловья, мы опоздаем на всю весну, граждане.

Кто-то пытался возразить, но самые умные кивнули: кажется, он прав.

И всю ночь весь поезд слушал соловьиное пение.

К утру поехали дальше. Много ли, мало ли ехали, но паровозик ни разу не оглянулся. И вдруг нежный запах из рощи. Вздохнул паровозик, задумался ещё раз, вздохнул и в рощу направился.

— Безобразие, безобразие! — закричали опять пассажиры. — Опоздаем. Опоздаем.

И вновь паровоз ответил:

— Конечно. И всё-таки на станцию можно приехать и позже. Но если сейчас мы не увидим первые ландыши, мы опоздаем на всё лето, граждане.

Кто-то пытался возразить, но самые умные кивнули: кажется, он прав. Сейчас надо собирать ландыши.

И весь день весь поезд собирал первые ландыши.

Только к вечеру поехали дальше. Много ли, мало ли ехали, но паровозик ни разу, ни разу не оглянулся. И вдруг выехали на горку. Взглянул паровозик вдаль и остановился.

— А теперь зачем стоим? — удивились пассажиры. — Ни цветов, ни леса.

— Закат, — только и сказал паровоз. — Закат. И если мы не увидим его, то, может быть, мы опоздаем на всю жизнь.

Ведь каждый закат — единственный в жизни, граждане.

И теперь уже никто не спорил. Молча и долго смотрели граждане пассажиры на закат за горкой и уже спокойно ждали паровозного гудка.

Но вот, наконец, и станция. Вышли пассажиры из поезда. А паровозик спрятался. «Сейчас, — думал он, — эти строгие дяди и тёти пойдут к начальнику жаловаться».

Однако дяди и тёти почему-то улыбнулись и сказали:

— Паровозик, спасибо!

А начальник станции немало удивился:

— Да вы же опоздали на три дня.

— Ну и что, — сказали пассажиры. — А могли бы опоздать на всё лето, на всю весну и на всю жизнь.

Ты, конечно, понял смысл моей сказки. Иногда не стоит торопиться.

Если видишь красивое, если видишь хорошее — остановись.

РАЗНОЦВЕТНЫЙ ЖИРАФ

Знаете ли вы разноцветного жирафа? Того жирафа, который боялся дождика.

Потому что он думал, что дождик смоет его цветные пятнышки. У этого жирафа был друг — Месяц.

Как-то раз спросил разноцветный жираф у своего друга:

— А что делать, если завтра будет дождик?

— Нужен зонтик, — объяснил умный Месяц.

— А где я возьму этот зонтик? — удивился жираф.

— Вон, — кивнул Месяц на пушистую тучку.

На другой день жираф вышел гулять с тучкой на ленточке.

Это был зонтик.

Удивительное дело. Дождика стало больше.

Конечно, когда бы это был не жираф, а кто-нибудь другой, он, наверное бы, сказал:

— Какой странный зонтик, сквозь него идёт дождик.

Но это ведь был разноцветный жираф. И он сказал совсем по-другому:

— Какой странный дождик — он идёт сквозь мой зонтик.

СКАЗКА

Как-то раз ослика попросили рассказать сказку. Ослик подумал — и сказал:

— У осликов большие уши — хлоп-хлоп. У слонов большие ноги — бум-бум. Понятно, нет?

Ну так вот. Если сто ослов хлопнут ушами: хлоп-хлоп, а сто слонов топнут ногами: бум-бум, — поднимется большой ветер. Понятно, нет?

Можно наоборот. Поднимется большой ветер, а вам покажется, что сто слонов топнули ногами, а сто ослов хлопнули ушами. Всё.

МЕСЯЦ

Каждый знает, какой Месяц. Зелёный. Так говорят все. Только один зелёный лягушонок говорил чуть-чуть по-другому:

— Месяц... Да он добрый. Неужели вы не видите этого? Ночью Месяц светит, а днём уходит в горы спать. У него острые рожки, и он боится нечаянно боднуть Солнышко. Неужели вы не видите этого?

ПУГАЛО

Эта сказка про пугало.

Однажды весной, когда на деревьях проклюнулись первые листья, в огороде кто-то поставил пугало.

Оно махало руками, как ветряная мельница, и кричало:

— Кыш, кыш!

Птицы стаями взмывали к небу.

И не только птицы. Беззаботные облачка и те, завидев пугало, поднимались к самому солнышку:

— У, какое страшное.

А пугало пыжилось от гордости, хвалилось:

— Я кого хочешь напугаю.

Так и пугало всех целое лето. Даже храбрые козлы и те трясли бородами и пятились, пятились, точно маленькие улитки.

Но вот пришла осень. Собрались тучи над землёй, и начались долгие дожди. В один из таких дождей и залетел на огород незнакомый воробей.

Он взглянул на пугало и ахнул:

— Бедняга, как плохо выглядит! Такое старое ведро на голове, и весь пиджак промок. Просто хочется плакать, глядя на него.

И тут все птицы увидели: осеннее пугало-то совсем-совсем не страшное, а нелепое просто.

Пришла зима. Пышные хлопья полетели на землю. И всё стало кругом праздничным.

И лишь пугало, старое пугало по-прежнему грустило:

— Такое кругом всё нарядное, а я такое смешное и нелепое.

Оно совсем отчаялось. И вдруг услышало:

— Какой прекрасный снеговик, взгляните только.

Пугало тоже открыло глаза, чтобы взглянуть на прекрасного снеговика, и... увидело напротив мальчика. Мальчик улыбался и кивал. И пугало всё поняло.

Прекрасным снеговиком был он сам, нелепое страшило. И хотя снеговики и пугалы не умеют вздыхать, но тут единственный раз в жизни пугало вздохнуло и прошептало:

— Спасибо, зима... Ты добрая.

Вот и вся сказка. А может, и не сказка. Ведь когда приходит пушистая зима, всё грустное и нелепое становится однажды красивым.

КОГДА НЕ ХВАТАЕТ ИГРУШЕК

Одного ослика уволили из цирка. Стал стар. Но чтобы не скучать, решил ослик опять быть маленьким и потому пошёл к игрушечнику.

А игрушечник сказал:

— Есть у меня только пушистый длинный хвост. Но подойдёт ли он тебе?

— А всё равно, — улыбнулся ослик, — лишь бы было весело. Он привязал к своему ещё и пушистый хвостик. Стал им махать и любоваться.

Увидел это заяц и очень удивился:

— Что с тобой?

Стыдно стало ослику, что он любуется своим хвостом, и потому он сказал:

— Я... я гоню вон те облака.

— Да и в самом деле, — отвечал заяц. — А я всё думаю, почему это облака плывут, не сами же по себе?

— Конечно, нет, — улыбнулся ослик и вновь взмахнул хвостом.

Так он махал хвостом. А заяц... заяц разносил по лесу весть об удивительной силе старого ослика.

— Не может быть, — сказал лев и пошёл посмотреть.

Посмотрел. И правда. Лежит ослик на

лужайке, машет хвостом. А над ним тяжё-
лые облака плывут. Вздохнул лев и даже
сморщился. И все-все в лесу сморщились,
узнав про это. Лишь подымет ослик хвост,
а звери уже в кусты прячутся. Вначале ослик очень удивлялся. А потом решил: «Ну
что же, пожалуй, опять в цирк можно».

И уже на другой день на всех заборах,
на всех стенках, на всех столбах появились афиши:

**«Наихрабрейший укротитель
серый ослик».**

И вот началось небывалое чудо: другие
дрессировщики выходили на сцену с пис-
толетами, саблями, пиками. Да ещё кругом обязательно стояли пожарники, дер-
жали шланги. А тут просто выходил серый ослик под тихую музыку, взмахивал
хвостом, и все сразу ему подчинялись.

Но однажды случилась беда. Встретил
как-то ослик маленького цыплёнка. Взмахнул хвостом. А цыплёнок даже не вздрогнул. Ещё раз взмахнул ослик — ничего.

— Да ты что? — закричал он. — Почему ты не боишься, разве ты не знаешь,
что у меня самый грозный хвост?

— Нет, — сказал цыплёнок, — вы меня простите, но я только вчера из яйца

вылупился. А ваш хвост мне кажется просто прекрасным. Сейчас жара, а он несёт мне ветер. Спасибо вам.

— Пожалуйста, — ответил ослик.

Но сам приуныл. Ведь если грозные львы узнают, что его хвоста не испугался маленький цыплёнок, они просто разорвут его.

Тем временем грозные львы пришли к мудрому слону за советом. Как же так: они боятся ослика, а маленький цыплёнок нет. Быть может, это просто ослик их обманывает и совсем он не грозный?

Но умный слон сказал:

— Нет, сердитые львы, всё правильно. По-настоящему сильный всегда жалеет маленьких и слабых.

ГЛУПЫЙ ЛЯГУШОНОК

Ну и удивительный же этот лягушонок!

В тот день он съел

Раз

　Два

　　Три

　　　Четыре

　　　　Пять

Да, да. Пять больших арбузов. У него заболел живот, он сел на пенёк и заплакал:

Бо
  Бо
    Бо
      Бо
        Бо

Шёл мимо глупый бык, насупился:

— Ты что кричишь: Бо-бо? Бодаться, что ли, хочешь?

— Да нет.

— Так, может быть, тебя кто-нибудь боднул нечаянно?

— Да нет, нет. Я ужинал.

— М-да. Ужинал. Понимаю. Ты, значит, что-то съел, и оно в животе бодается.

— Точно. Я съел пять арбузов. И вот они...

— Они? Быть не может. У них нет рожек. Ты, наверное, съел что-то другое.

— Другое. Рогатое, — сказал лягушонок и задумался.

— Ну, конечно, вчера на лугу я видел рогатую корову. Сегодня её нет. Должно быть, я съел её. Нечаянно.

— Безусловно, — замычал глупый бык. И от страха поджал хвостик.

КОЛОКОЛЬЧИК ОСЛИКА

Ослик очень любил гулять. Но он был маленьким, и потому всё время терялся.

Выйдет на улицу, а там так интересно. Вот дерево. Ослик много раз его видел, но прилетели бабочки, опустились на него, и дерево вдруг расцвело удивительными цветами.

Или, например, солнышко в прятки начнёт играть. Ослик бегает, ищет его, а солнышка нигде нет. Он, даже, ножками топать начнёт. Сердится. А солнышко тут и появится.

Или найдёт скорлупку от ореха и думает: «Для чего она нужна?» А потом приделает к ней листик — вот и кораблик получился. Можно в плавание отправлять. Пустит он кораблик по ручью, и сам за ним бежит. Заиграется ослик на улице, засмотрится и забудет, какая дорожка к дому ведёт. Сядет под кустиком и ждёт, пока его найдут.

Устала мама искать ослика и повесила ему на шею колокольчик. Колокольчик весело звенит и рассказывает маме, где сейчас ослик.

И хотя колокольчик висел у ослика на шее, он всё время у всех спрашивал:

— Простите, вы не знаете, где это звенит? Такая красивая музыка, будто кузнечики на скрипках играют.

Вот такой рассеянный.

Но однажды ослик, задремав, качнул головой и понял, — это звенит в его сне. Так он и говорил каждому:

— У меня очень звонкие сны, с колокольчиком.

И все взрослые улыбались, а все маленькие завидовали.

ПЕТУШОК И СОЛНЫШКО

Молодой петушок каждое утро встречал солнышко. Прыгнет на забор, закукарекает, — и вот уже показалось над лесом золотое светило. А тут, как всегда, закукарекал, а вместо солнышка из-за леса серый туман выплыл.

«Где же солнышко найти?» — постоял петушок, подумал, надел сапожки и к котёнку пошёл.

— Ты не знаешь, где солнышко? — спросил он котёнка.

— Мяу, я забыл сегодня умыться. Наверное, солнышко обиделось и не пришло, — промяукал котёнок.

Не поверил петушок котёнку, к зайцу пошёл.

— Ой, ой, я сегодня забыл полить свою капусту. Вот поэтому солнышко и не пришло, — пропищал заяц.

Не поверил петушок зайцу, к лягушонку отправился.

— Квак-так? — заквакал лягушонок. — Из-за меня всё это. Я забыл своей кувшинке «Доброе утро!» сказать.

Не поверил петушок и лягушонку. Домой вернулся. Сел чай с леденцами пить. И вдруг вспомнил: «Я же вчера обидел маму, а извиниться забыл». И только он сказал:

— Мама, прости меня, пожалуйста!

Тут солнышко и вышло.

Недаром говорится: «От доброго дела в мире светлей становится, будто солнышко встало».

ЛЯГУШОНОК-ПЕКАРЬ

Надоело лягушонку просто так по лесу скакать. И решил он стать пекарем. Надел белый пышный колпак, а на своём домике вывеску повесил: «Лягушонок-пекарь».

Заблеял у ворот баранчик. Пекарь ему рогалик дал.

Замычал бычок — круглый бочок. Бычку лягушонок сладкую соломку вынес.

А рыжему жеребёнку маковая подковка досталась.

Даже мальчик Петя получил два бублика, будто два колеса для самоката.

Все довольны. Мычат, блеют, смеются. Только лягушонок сидит дома, думает: что же ему такое испечь. Ведь у него скоро день рождения. Три дня думал лягушонок, а потом испёк такое... такое, что все ахнули.

Лягушонок испёк торт, а украсил белыми кувшинками, такими, как в пруду плавают.

И тогда все звери сказали: «Наш лягушонок не просто пекарь, он ещё сказочник».

ПАРОВОЗИК ЧУ-ЧУ

Жил-был один паровозик на свете. А звали его Чу-Чу. И это потому, что прежде чем ехать, он всегда говорил: «чу-чу».

А ездил Чу-Чу по лесной дороге, от одной станции до другой. Чу-Чу чуть постоит и дальше поедет.

А потом там, где паровозик ездил, автомобильную дорогу построили. А паровозику сказали: «Знаешь что, Чу-Чу, тебе надо чуть-чуть отдохнуть. Лучше ступай в музей».

Пошёл паровозик и видит, что кто-то дымит. А может, тоже паровоз. Только это был сторож зоопарка.

— Что грустишь? — спросил его паровозик.

— Да вот, — ответил тот, — заболел наш пони. И теперь некому катать детей.

— А может, я попробую. Чуть-чуть, — попросил паровозик.

И сторож запряг его, даже бубенцы повесил.

Ребята были очень рады этому. Ведь никто из них раньше не ездил на старинном паровозике. Они всё время гладили его и говорили:

— Какой ты, красивый, какой замечательный.

Чу-Чу смеялся и говорил:

— Вот я и дожил до весёлых, счастливых бубенчиков.

ПУШИСТЫЙ БАРАШЕК

Жил на белом свете чёрный пушистый барашек. Любил он всё пушистое-пушистое.

Утром вставал — пушистой мыльной пеной умывался.

Днём доски строгал, пушистую стружку на крылечко складывал.

Вечером стружкой топил печь, пушистый дым из трубы полз в небо.

Летели по небу пушистые облака.

А однажды из пушистых облачков полетели пушистые снежинки.

— Я люблю пушистую погоду, — сказал барашек, надел пушистые валенки, надел пушистую шапку и пошёл гулять.

Идёт по улице, а ему навстречу всё пушистое: пушистые дома, пушистые-пушистые звери.

Вернулся барашек домой, мама его не узнала: чёрный барашек в белых снежных пушинках.

ОБЛАКА

И облака, когда их увидишь впервые, могут показаться странными. Да....

Однажды рыжий котёнок пригласил своего жёлтого друга — цыплёнка:

— А не пойти ли нам, желторотый, на речку пить голубую воду.

— Пить голубую воду, — улыбнулся

тот. — Наверное, это очень смешно и вкусно.

И они пошли на речку пить голубую воду.

Цыплёнок хотел сразу пить, но котёнок остановил:

— Постой, постой, разве ты не видишь в воде белую пенку. Надо её сдуть. Ф-ф-ф...

Цыплёнок не знал, что такое пенка, но всё-таки на всякий случай тоже стал — Фу-фу-фу... — дуть. Потом ему дуть надоело. Он поднял голову кверху и увидел облака.

— Смотри, — потянул он котёнка за ухо, — и там тоже пенка.

И котёнок с цыплёнком оба стали дуть в небо, в четыре щеки.

СЛАДКИЙ ДОМИК

Прокричал красный петушок, вихрастый гребешок, на весь двор, что будет строить себе домик. Только не такой, не простой, а сладкий.

Из сладкой соломки поставил он сруб. Из сладких пряников сложил крышу.

Из ирисок сделал сладкую, сладкую

трубу. Сел у сладкого окошка и ждёт добрых гостей.

Пришёл в гости кот, взглянул на домик и... мяу! — съел трубу.

Пришёл в гости козёл, взглянул на домик и... ме-е-е! — съел крышу.

Пришёл в гости поросёнок, взглянул на домик, хрюкнул — и съел стены.

Оглянулся кругом петушок, вихрастый гребешок, — ничего не осталось... Горькими слезами заплакал петушок — совсем не весело, совсем не сладко жить в таком домике. Даже грустно очень.

— Очень мне грустно, что вы такие сладкоежки, — сказал он.

— И нам грустно, — сказали гости и все вместе заплакали. Жаль домик, — очень вкусный был.

МИШКИНА ТРУБА

В одном лесу жила семья музыкальных медведей.

Папа-медведь играл на гармошке.

Мама била в барабан.

И лишь маленький Мишутка ни на чём не играл. Сидел грустный.

— Пора бы, — сказал однажды папа, — и ему взяться за дело.

И Мишутке купили трубу, похожую на серебряную раковину.

— Вот тебе и подарок, — улыбнулся медведь-папа. — Очень бы хотелось, чтобы ты научился дудеть. Представляешь, на полянку выйду я, мама и ты. Это же целый оркестр получится. Вот рады будут звери. Зайчишки, наверное, станут прыгать до неба.

— А я не хочу играть, — ответил вдруг Мишутка.

— Это почему? — удивился папа. — Быть лесным музыкантом весьма почётно.

— Может быть, — вздохнул Мишутка. — Но разве играть на таком инструменте можно? Это большая раковина. А в ней живёт серебряная улитка.

Сколько ни сердился папа, Мишутка твердил своё.

И каждое утро медвежонок подходил к трубе и говорил:

— Здравствуй, серебряная улитка! Ты не бойся, нет, нет. Я не выдую тебя из твоего домика.

Все смеялись над Мишуткой, а он даже приносил улитке цветы. И его серебряная труба поэтому всегда пахла цветами.

— Но как же иначе? — говорил медвежонок. — Серебряная улитка боится меня и не выходит. Так пусть садик будет у неё возле дома.

Отчаялся папа-медведь, отчаялась мама. Как быть с добрым, но глупым Мишуткой?

Наконец папа произнёс:

— По-моему, я что-то придумал. Надо положить в трубу записку.

А на другое утро Мишутка получил такое письмо:

«Дорогой Мишутка! Я покидаю свой домик и ухожу к далёкому морю. Можешь спокойно теперь учиться музыке. Спасибо за цветы».

— Теперь я, конечно, согласен. Где ноты? — сказал медвежонок.

И вскоре, в ближайший праздник, Мишутка вышел на полянку.

— Медвежий весёлый вальс, — объявил папа.

Но медвежонок заиграл совсем не весёлое, а даже что-то печальное.

— Что с тобой, что с твоей трубой? — удивились зайцы.

— А я и сам не знаю, — покачал головой медвежонок. — Надо подумать.

И думал он до самого вечера. А потом сказал зайчатам:

— В этой **серебряной поющей** раковине когда-то жила серебряная улитка. Сейчас она ушла. Но ведь когда ты покидаешь свой дом, там остаётся твоё сердце. Сердце улитки грустит в моей трубе.

Вот и вся сказка.

А может быть, и не сказка.

Лично я верю: у всякого инструмента есть своё доброе сердце. Иначе почему нас трогает музыка?

ЖИВОЙ МОТОЦИКЛ

Случилось это в воскресенье. Как раз в то время медвежонок сидел дома и читал лесную газету. И вдруг он прочёл:

«В городском парке состоится выставка новых мотоциклов».

«А что такое мотоцикл?» — задумался медвежонок.

Пошёл медвежонок спрашивать ослика.

— Мотоцикл — значит, му-м-м, — замычал ослик. — А, по-моему, это то, что мычит.

Медвежонок тут же всё понял и побежал на луг. Там на зелёной травке пасся маленький телёнок.

— А ну, — приказал Мишка, — скажи «му».

— Му-му, — замычал телёнок.

— Спасибо, — сказал медвежонок. — Всё правильно, — значит, ты и есть мотоцикл. Сейчас нам срочно надо ехать на выставку мотоциклов.

И сказав это, медвежонок прыгнул на спину телёнку, и они двинулись в путь. А вскоре случилось вот что.

— Позвольте представиться, мой новый мотоцикл, — так говорил медвежонок директору выставки.

Но директор был очень городской человек. Он никогда не ездил в деревню и потому весьма удивился, увидев телёнка и медвежонка.

— Что это такое, — забурчал он, — что за странные посетители. — Вас, конечно, я знаю, вы медвежонок. Видел в цирке. Но позвольте, на чём вы приехали? Эдакое четвероногое со странным рулём.

— Как, вы не знаете? — заворчал медвежонок. — Да это же мой мотоцикл. И как вам не стыдно не верить!

— Но, наверное, новой марки, — вздохнул директор. — И всё-таки — никогда не видел такого странного мотоцикла.

Тут он обошёл телёнка со всех сторон и осторожно потрогал.

— Интересно, весьма интересно, — пел про себя директор и вдруг спросил: — А чем вы его заправляете?

— Как — чем? — засмеялся Мишка. — Опять не знаете? Да травой и листьями!

— О, — улыбнулся директор. — Да это очень хорошо. А то от бензина у меня часто кружится голова.

И обрадованный директор ещё раз погладил новый мотоцикл. Потом мотоцикл поставили на почётное место.

И мотоцикл-телёнок задремал на почётном месте и засопел носом. Он делал это так громко, что директору показалось, будто телёнок-мотоцикл завёлся и директор закричал:

— Безобразие, да ваш мотоцикл не соблюдает никаких правил, никаких. Заводится сам по себе, без хозяина.

— Успокойтесь, — сказал медвежонок. — Он совсем не заводится. Он спит, устал за дорогу.

— Спит? Но всё равно, безобразие. Разве можно спать на такой прекрасной выставке. Разбудите немедленно!

Но сколько медвежонок и директор ни будили новый мотоцикл, он не просыпался.

Пришлось звать милиционера. Известно, все машины, даже большие сорокотонные автомобили, боятся милицейского свистка. Но сколько милиционер ни свистел, телёнок всё-таки не проснулся.

— Ну и мотоцикл, — вздохнул директор, — право не знаю, что с вами делать. — Долго думал директор и, глядя на него, дрожал медвежонок, — боялся, чтобы с выставки не выгнали.

Но директор был добрым и поэтому улыбнулся.

— Так вы говорите, — спросил он медвежонка, — вы говорите, ваш мотоцикл заправляют листьями, травой?

— Да, — кивнул медвежонок.

И тут директор достал из петлицы цветок:

— Пожалуйста!

Телёнок вздохнул и проснулся.

Не стоит говорить, как все смеялись. Тот смех даже передавали по радио.

А потом добрый директор сказал:

— Конечно, есть сильные и красивые мотоциклы, быстроходные. Но зато этот — самый милый. Он любит траву и цветы. Я думаю, его надо наградить.

И телёнку торжественно вручили диплом:

«Самому милому мотоциклу
в мире».

СКАЗКИ-
МАЛЮТКИ

ЛОСЁНОК

В лесу было тихо и только лосёнок смеялся.

— Тише ты, — сказал ему медведь. — Сейчас случится чудо.

— Какое чудо? — удивился лосёнок.

А медведь показал ему на дерево. Весь день лосёнок смотрел, а вечером вдруг увидел. На сером дереве — зелёный лист. Первый лист. И понял он тогда, почему в лесу тихо. Все ждут рождения первого листа. Это и есть чудо леса...

МЕДВЕЖОНОК

Глупый медвежонок не знал, что такое зима и когда она будет.

— Когда полетит что-то белое, — сказал ему папа.

Осыпался с тополей белый пух, но зима не настала. Облетели одуванчики, и это тоже была не зима. А когда настоящая зима явилась, медвежонок уже не поверил.

— Это просто дождь надел пуховые варежки, — сказал он.

КОТЁНОК

Был у Пети котёнок. Однажды он обиделся и ушёл в лес. Видит — стоит избушка, а в избушке одинокий медведь.

— Заходи, — говорит одинокий медведь. — Будем жить вместе.

— А молочко у тебя есть? — спросил котёнок.

— Есть.

— А печка есть?

— Есть.

Попил котёнок молока, поспал на печке и опять спрашивает:

— А мальчик у тебя есть?

— Нет.

— Очень плохо.

Тут стало котёнку грустно, и он вернулся обратно к Пете.

ЛИСЁНОК

Рыжий лисёнок решил стать доктором. Он взял музыкальную дудочку и принялся слушать сердце каждого. Сердце зайца, сердце ёжика, сердце белочки.

«Тик-тик! Так-так! Тук-тук!» — слышалось сквозь дудочку, и лисёнок говорил:

— Прекрасное сердце, поёт, точно птица.

Но однажды лисёнок послушал сердце волка и сказал:

— У тебя злое сердце.

— Но почему же? — удивился волк.

— Потому что моя добрая дудочка молчит.

ТЕЛЁНОК

Глупый телёнок всё думал о ветре: «Где он прячется, когда его нет?» Заглянул телёнок и в собачий домик, и в улей к пчёлам, а потом на лужок пошёл. Искал там, искал и вдруг нечаянно тронул ножкой колокольчик.

«Динь-динь-динь!» — зазвенел колокольчик, и телёнок всё понял: там, в голубом колокольчике, и прячется ветер.

— Я тебя нашёл! Выходи, ветер! — обрадовался телёнок. И ветер в колокольчике засмеялся: «Динь-динь-динь!»

ЗАЯЦ

Заяц писал свои заячьи письма на опавших листьях. Но однажды ветер унёс все листья. И красные и жёлтые...

С той поры, если заяц видит жёлтую или оранжевую бабочку, он всегда говорит: «Это, наверное, летит моё самое красивое слово...»

ОСЛИК

Ослик купил часы, а они не звенели.

— Что с вами? — спросил ослик.

— Собери звон, — сказали часы, — и будем звенеть.

И пошёл ослик собирать разный звон. Звон падающих листьев, звон ветра, звон утренней капели.

А когда он вернулся и сказал: «Я собрал звон», то часы ответили: «До-он! До-он!» И понял тут ослик, как делают старинные часы... Ходят часовые мастера по лугам, ищут красивый звон и дарят часам.

БЕГЕМОТ

Бегемоту все говорили:

— Какой ты толстяк!

И большой слон, и даже маленький заяц говорили ему это.

А потом пришла осень, и толстый бегемот вдруг встал под дерево.

— Зачем ты тут стоишь? — спросили его.

— Падают листья, — сказал бегемот, — а земля холодная и голая. Конечно, на мою толстую, тёплую спину им падать лучше.

— Да, да! — кивнули все и тут же добавили: — Он не просто толстяк — он толстый добряк.

А это большая разница.

СЛОН

Большой слон никогда не плакал.

— А почему вы не плачете? — спросил его однажды заяц. — Неужели вам никого не жаль?

— Нет, — ответил слон, — просто у меня крупные слёзы. Когда моя слоновая слеза стукнет кого-то — будет очень больно. А зачем же плакать, если от этого кому-то станет больно.

ЁЖИК

Ёжик-портной шил прекрасные плащи. И всё-таки они ему не нравились.

И вот однажды осенью он решил сшить плащ из багряных листьев. Только листья опали, нанизал их ёжик на каждую иголку.

Сшил прекрасный плащ. Самый шуршащий был тот плащ. Но потом от мороза все листья свернулись, и стал тогда умный ёж похож на пёстрого барашка.

ПОРОСЁНОК

Глупый поросёнок всегда хрюкал и всех учил. Он сказал кузнечику:

— На вашем месте я никогда не взял бы в лапы скрипочку.

Пришёл умный слон, и поросёнок сказал ему то же:

— На вашем месте я бы не топал.

— Да, — кивнул слон, — только я бы на вашем месте не хрюкал. Прежде чем учить — подумай, а не поросёнок ли ты?..

КОЗЛЁНОК

У козлёнка на шее висел колокольчик, а он у всех спрашивал: «Где это звенит?»

Вот глупый какой?

Потом козлёнок задремал, качнул головой и понял — это звенит в его сне. Так он и говорил теперь каждому: «У меня очень звонкие сны. С колокольчиками».

И все взрослые улыбались, а все маленькие — завидовали.

ВЕЛИКАНСКИЕ ЛАПЫ

Ночью от больших сосен упали на снег мохнатые тени.

Увидел их маленький щенок и испугался.

— Что же ты боишься, — сказали ему сосны. — Это же наши тени.

Но щенок не поверил.

— Нет. Это великанские лапы великанских котов, — сказал он, — и спрятался в собачий домик.

КЕДРЫ

Высокие кедры говорили всем: мы самые мудрые. Мудрые потому, что всё-всё слышим. Гудки пароходов, крики петухов в деревне. А если, если встанем на цыпочки, то услышим даже голоса звёзд.

— Ах, — сказал маленький цветок, — чего гордиться. Я тоже всё это слышу. — А когда наклоняюсь под ветром и касаюсь земли, я слышу ещё: как я расту.

ПОРОСЁНОК

Надоело смешному поросёнку быть смешным. Решил он стать страшным. Взял кисточку и стал рисовать у себя на спине полоски. Потом заворчал, зарычал и спросил одного слонёнка:

— Ну как — теперь похож я на страшного тигра?

— Ты, — засмеялся слонёнок. — Ты — нет. У тебя хвост курносый.

— Так на кого же я похож? — спросил опять поросёнок.

— С таким хвостом — на арбуз, конечно.

ПАРОХОД

В порту всю ночь о чём-то протяжно и долго гудел пароход.

Один маяк не выдержал пароходной грусти и спросил:

— О чём ты дудишь, о чём мечтаешь?

— Ах, — сказал пароход, — каждый вечер, когда у меня зажигаются огни, мне кажется, я становлюсь похожим на большую игрушку.

— Ну и что, — мигнул маяк.

— Да как — чтоооо, — загудел пароход обиженно. — Неуууужели ты не поонимааешь. Каждый вечер я жду, когда же придёт какой-нибудь великанчик поиграть со мной.

ЛЯГУШОНОК

Один хвастливый лягушонок решил допрыгнуть до Луны. Разбежался однажды и полетел. Летел, летел, шлёпнулся. Открывает глаза, а вокруг два огромных серых листа.

— Ну, кажется, — сказал хвастливый лягушонок, — я уже на Луне.

— Нет, — сказал насмешливый голос.

— А где же я? — удивился хвастливый лягушонок.

— У меня, слона, на макушке, — ответил слон и рассмеялся.

ЩЕНОК

Сидел лохматый щенок под дождём и удивлялся:

— Ну как же так, грибы в дождь растут, а я вот ни капельки.

— Не сердись на дождик, — сказал гриб. — Ведь мы не растём. Это моя шляпа растёт, а я лишь тянусь за ней.

СВЕТОФОР

Увидел маленький воробей впервые светофор и сказал:

— У, какой большой скворечник.

Потом он ещё раз подумал и добавил:

— А в том большом скворечнике теперь трёхглазая сова живёт.

ПОРОСЁНОК

Странные вещи бывают осенью. Например, однажды я встретил поросёнка с розовым сачком.

— Что ты ловишь? — удивился я. — Ведь бабочек давно нет.

— А я знаю, — сказал поросёнок. — И ловлю совсем не бабочку, а весёлую улыбку — осенью так грустно.

МАЛЬЧИК

Мальчик сидел у реки и ловил рыбу. А под вечер упала от мальчика большая тень на траву. Посмотрел на неё рыбак и сказал:

— А это большой великан ловит большого кита.

Так и родилась вечерняя сказка.

ЁЖИК

Был ёжик колючий и вдруг решил не буду колючим. На каждую иголку он одел серебряный напёрсток.

Идёт ёжик по лесу, а напёрсточки: динь-динь.

Выглянула из дупла птичка и говорит:

— Ты что моих птенцов будишь?

— А разве слышно? — удивился ёжик.

— Да-да. Будто на водопой целое стадо идёт.

СКВОРЕЦ

Долго, долго маленький скворец не умел летать. А потом взлетел и засмеялся.

— Над чем ты смеёшься?

— А ты разве не видишь? Эти большие сосны сверху кажутся простыми одуванчиками.

СТРИЖ

Весной стриж летал над самой землёй.

— Ах, — сказал дятел, — ты так низко летаешь, машешь крыльями, что кажется будто ты стрижёшь воздух.

— А я и вправду стригу.

— Но зачем? — удивился дятел.

— А затем, — ответил стриж, — чтобы весенние запахи не уходили от нас в небо.

СИНИЦА

Проснулась ночью синица и услышала, что кто-то поёт.

Заглянула в окно дома — никого. В трубу посмотрела — никого.

Тогда залетела под крышу и там услышала...

Да, да. Это пели весенние сосульки. Ветер трогал их осторожно и так же осторожно они вторили ему: трам-там.

На дворе был апрель.

ЛЕВ

Когда пришла в зоопарк осень, старый Лев не понял это:

— Ведь у них в Африке не бывает осени.

Потому посмотрел Лев на опавшие листья и сказал:

— А я догадался, что это. Это мой друг жираф ушёл на родину и оставил мне на память свои веснушки.

ШМЕЛЬ

Залетел шмель под вечер в бутон вечернего цветка, и тот закрылся.

Потом всю ночь недовольный шмель жужжал, а утром соседи-цветы спросили:

— Что за страшный сон тебе снился?

— Не помню точно, — улыбнулся цветок. — Но по-моему, мне снился огромный самолёт.

ЦЫПЛЁНОК

Один милый цыплёнок решил почему-то походить на цаплю. Встал он на одну ногу и спрашивает:

— Ну как, похож я на ту птицу?

— Нет.

— Тогда на кого же?

— На жёлтый цветок, — улыбнулись все.

ТИГР

Долго думал тигр, как ему под старость добрым стать.

Вот и придумал, чтобы не оцарапать

кого-нибудь, надел на каждую грозную лапу бархатную варежку.

Пошёл тигр гулять, а навстречу заяц. Надо поздороваться, но как — в варежке нельзя, а без варежки зайцу больно.

Подумал ещё раз тигр и протянул зайцу ушко.

С той поры так было. Бархатный тигр всем протягивал ушко. А когда ему хотелось зарычать, он говорил:

— Если я рассержусь, вы меня за ушко и на солнышко. Ладно?

ЧУДАК

Жил-был вулкан на свете, и все в городе боялись его. Что будет, если наш старик взорвётся?

И вот что было, когда наш вулкан взорвался. Весь город был усыпан подарками.

И знаете почему?

Жил в нашем зоопарке один чудной жираф. И когда этот чудак услышал о сердитом вулкане, всю жизнь потом точно в копилку бросал он в вулкан что-нибудь вкусное, что-нибудь сладкое.

Вот потому так красиво и вкусно и взорвался старик-вулкан.

А чудаку... чудаку-жирафу большое спасибо.

ОБЛАЧКО

Лёг заяц на землю послушать, как трава растёт, да уснул. Проснулся уже в небе. Это сосна так выросла и зайца подняла.

Шёл мимо медведь.

— Помоги, — попросил его заяц.

— А ты кто такой? — спрашивает медведь.

— Я, — задумался заяц, — я, наверное, облачко.

— Но разве бывают у облаков уши? — улыбнулся медведь.

ОСЛИК-КЛОУН

Никогда не просите клоуна делать что-нибудь серьёзное.

Попросили однажды клоуны ослика построить мельницу на ручье. И ах, и ух, и ох, ох-ох, какую он мельницу выстроил.

Колесо у той мельницы было велосипедное, а лопасти колеса — старые галоши. И конечно, клоунская мельница как нельзя молола плохо, но зато хлопала, шлёпала на весь лес.

И потом все ездили туда не зерно молоть, а вдоволь посмеяться.

Вот какой цирк вышел.

МУРАВЬИШКИН КОРАБЛИК

Шёл муравьишка, нашёл скорлупку и сказал:

— Зачем она мне?

Шёл муравьишка дальше, нашёл маковый лепесток. Построил маленький кораблик. Все лесные жители вздыхали кругом: «Ах, какой прекрасный кораблик. У него парус душистый и живой!»

СЛОНЁНОК

Маленький слонёнок очень походил на леечку, и это не нравилось ему.

— Ну если я возьму зонтик, — сказал слонёнок, — то сразу стану другим — большим и солидным.

Так он и сделал. Только его друг медвежонок смеялся ещё больше. А знаешь,

знаешь, теперь ты похож на чайничек. Внизу нос, а вверху крышка.

ЧЕРЕПАХА

Встретила одна черепаха другую и говорит:

— А теперь я знаю, откуда появились черепахи. Однажды кто-то уронил глобус — и вот глобус раскололся на две половинки.

ПАУЧКИ

Холодно осенью в лесу. Деревья дрожат, жёлтые листья роняют. Вот и решили добрые мужички-лесные паучки осенний лес согреть. Ночью лунною сплели плащ паутинный да и накинули на лес.

А только плащ тот совсем не греет. И золотые осины по-прежнему дрожат на ветру: «Холодно, мужички, голодно, паучки».

«БАБОЧКА»

Завязал Заяц уши бантиком и стал всех спрашивать:

— А похож я на бабочку?

— Нет, — сказали ему, — скорее на **узелок**.

Заяц вначале огорчился, а потом захохотал:

— Ну, если на узелок с новогодними гостинцами, тогда я не возражаю.

ССОРА

Дружили как-то Заяц с Бычком. А потом поссорились. И знаете из-за чего? Заяц сказал Бычку, что у него ноги на соломинки похожи, а Бычок Зайцу — что у него на пружинки.

КАПУСТА

Весь день шёл дождь-дождь, и всё капало, капало с деревьев. А потом из дома вышел Зайчонок и стал внимательно смотреть кругом.

— Что ты там смотришь? — удивилась Зайчиха.

— Ну как же, — сказал Зайчонок, — если так кап-капало, то, значит, и капуста должна вырасти?!

АВГУСТ

Кончилось лето. Стали короткими дни. И Оленёнок решил: а летние дни подобны деревьям — к осени они тоже облетают, минута за минутой. Это листопад времени.

СТРЕКОЗА

Раньше Оленёнок думал: все деревья одинаковы. А потом посмотрел на них, посмотрел и решил: а у деревьев разные лица. Вот верба, она похожа на Зайчика. А пугливая Осина — на Стрекозу. Весь день Осина дрожит над лугом.

ПЕЧАЛЬНАЯ ВЕСНА

Медвежонок родился летом и потому никогда не видел весны. Знал он только, что весна — это когда воздух лёгкий, голубой. Но вот пришла ранняя осень, и воздух тоже стал лёгкий и голубой.

— Весна! — обрадовался Медвежонок.

Все засмеялись. И лишь Медведь-дедушка кивнул:

— А ведь он верно заметил: ранняя осень и правда похожа на весну. Только это — грустная весна.

И с той поры в том лесу так и звали раннюю осень грустной весной.

БАРАШЕК

Расцвёл тополь. И повисли на нём белые серёжки, белые кудряшки.

Увидел его Ягнёнок, да как заблеет:

— У-у-у, какой большой! Ну и Барашек!

КЛЁН

Осыпал Клён багряные листья. Поднял их Лисёнок и уложил ими дорожку к своему дому.

«Вот, — думал он, — гостей обрадую». Однако никто из гостей не пошёл по той кленовой дорожке.

— Но почему же, почему? — спросил он Оленя. — Такая красивая дорожка, а никто не идёт по ней.

— Ах, — сказал Олень, — лист клёна похож на сердце. Я не могу наступать на это сердце осени.

ДЕРЕВО

Дружил Медвежонок с Деревом. Однажды Дерево сказало ему:

— Скоро осень.

— А как ты догадался, — удивился Медвежонок, — ведь у тебя и глаз нет?

— Зато я всё чувствую, — ответило Дерево. — Раньше я держало в зелёных ладошках горячие солнечные лучи, теперь я чувствую: они стали холодными.

В САДУ

Однажды летом в одном саду заблудился глупый кузнечик. Ходил среди цветов, качал головой и жаловался:

— Такое несчастье!

А потом пришла осень, осыпался сад, вы-шел кузнечик в поле, оглянулся, а кругом голо и пусто, только жёлтая трава. И тут, опять покачав головой, сказал он сам себе:

— И чего ты печалился? Наверное, это самое прекрасное — заблудиться летом среди цветов.

ПОРТНЯЖКА

Однажды к заячьему домику кто-то пришил сверху красивый карманчик. Стал заяц спрашивать:

— Кто это сделал?

А ему никто не отвечает. Только утром выглянула из того карманчика птичка:

— Это я, твоя ласточка.

СТРАННЫЙ РАЗГОВОР

Однажды хитрый ослик встретил доброго слона.

— А ты знаешь, — сказал он ему, — у меня уши большие и похожи чем-то на слоновые. Значит, я маленький слон.

— Да, да, — согласился добрый слон, — но только кто я в таком случае?

— Ах, — засмеялся хитрый ослик, — если я маленький слон, то ты, наверное, просто большой ослик.

ПЕТУШОК

Таяла ночь. Небо уже стало светло-голубым. Проснулся алый петушок, взглянул в небо и сказал:

— А до солнышка две звёздочки осталось.

УДИВИТЕЛЬНАЯ ЗИМА

Как-то весной полетело сверху что-то лёгкое и белое. Испугался медвежонок и в берлогу прибежал:

— Ой, мама, опять зима настала!

А мама улыбнулась и говорит:

— Да ведь не настоящая зима, а тополиная. То тополя цветут, и нас на счастье белыми серёжками осыпают.

УГОЛЁК

Шёл полем паровоз, потерял уголёк. Нашёл его ёжик и разумно сказал:

— Наверное, братцы, это кусочек зари.

И стал дуть на него. Дул так до самого утра. А утром отлетела от уголька последняя искра, и всё небо зажгла зорькой алой.

ОДУВАНЧИК

Не нравилось весёлому котёнку, что солнышко каждую ночь за лес закатывается. Только разыграешься, а оно ушло.

Однажды нашёл он на лугу пушистый одуванчик и очень обрадовался:

— Ты солнышко на ножках?

— Да, — сказал одуванчик.

— А ты за лес не закатишься?

— Нет, — сказал одуванчик.

— Вот и хорошо, — вздохнул котёнок. — Значит, будем с тобой вечером играть.

Пришёл вечером, смотрит: а бо́льшее солнышко за лес ушло. И солнышко на ножке тоже закатилось, закрылось зелёным платком.

Что же делать?

МЫШОНОК

Один мышонок встретил как-то льва. Посмотрел на него и засмеялся.

— А ты чего смеёшься? — спросил его грозно лев.

— Ну как же, — объяснил мышонок. — Впервые вижу такой большой, такой жёлтый одуванчик.

БОЛЬШАЯ ПТИЧКА

Весь день жёлтый цыплёнок смотрел на большое дерево. Смотрел, смотрел и вдруг заплакал:

— Что с тобой? — удивилась мама.

— Ну как же, — сказал цыплёнок, — подумай только, эта большая зелёная птичка весь день стоит на одной ножке. Ей ведь так трудно, вот я и жалею её.

СОЛОМИНКА

Лежала в поле соломинка, а потом её ветер поднял зачем-то. Поднял, покружил — и на болото отнёс. Обидно соломинке — ведь в поле светло, а на болоте темно, так грустно! И она уже заплакать собралась соломенными слезами. Да вдруг из-за кочки выглянул маленький лягушонок. Посмотрел на соломинку да как закричит:

— Смотрите, это у жёлтого солнышка лучик отвалился, ура!

ЛУГ

Весной по лугу талые воды бежали. Потом воды в землю ушли. И тогда потекли по зелёному лугу реки белых ромашек и ручейки васильков голубых.

ПОДЪЁМНЫЙ КРАН

Жираф во сне всегда поднимал и опускал шею. Увидел это медвежонок и спросил:

— А вы это зачем делаете?

— Да вот, понимаешь, — пошутил жираф, — подъёмным краном работаю. Поднимаю в небо опавшие звёзды.

ЯЗЫЧОК

Маленький щенок родился зимой и потому так и думал: «А деревья они всегда такие — серые и голые?»

Но тут в апреле на одном дереве один листок проклюнулся. Посмотрел щенок да как зарычит:

— Ты чего дразнишься? Ты чего мне зелёный язычок показываешь?

ГРОМ

Прогремел первый гром за рекой. И каждый из зверят стал думать: «А что это такое?» Думали, думали и наконец умный медвежонок сказал:

— Наверное, большая погремушка родилась? А теперь её ветер на руках укачивает — бом-бом-бом!

КАК ЛЯГУШОНОК ИСКАЛ ПАПУ

Сказочные истории

ПРО ЧУДАКА ЛЯГУШОНКА

Сказка первая

Однажды лягушонок сидел у реки и смотрел, как в голубой воде плавает жёлтое солнышко. А потом пришёл ветер и сказал: «Ду...» И по реке, и по солнышку пошли морщинки. Рассердился тут ветер и сказал ещё раз: «Ду, ду, ду». Очень сильно. Он, видимо, хотел разгладить морщинки, но их стало больше.

И тут рассердился лягушонок. Он взял прутик и сказал ветру: «А я тебя прогоню. Ты зачем морщишь воду и любимое солнышко?»

И он погнал ветер, погнал через лес, через поле, через большую жёлтую канаву. Он гнал его в горы, где пасутся козы и овцы.

И весь день там лягушонок скакал за ветром и махал прутиком. Кто-то думал:

99

он отгоняет пчёл. Кто-то думал: он пугает птиц. Но он никого и ничего не пугал.

Он был маленький. Он был чудак. Просто скакал в горах и пас ветер.

Сказка вторая

А вчера в гости к лягушонку пришла рыжая корова. Помычала, покачала умной головой и вдруг спросила:

— Простите, зелёный, а что бы вы стали делать, если бы вы были рыжей коровой?

— Не знаю, но мне почему-то не очень хочется быть рыжей коровой.

— А всё-таки?

— Я всё равно бы перекрасился из рыжего в зелёный.

— Ну, а затем?

— Затем я отпилил бы рожки.

— А зачем?

— Чтобы не бодаться.

— Ну, а потом?

— Потом я подпилил бы ножки... Чтобы не лягаться.

— Ну, а потом, потом?

— Потом бы я сказал: «Посмотрите, ну какая я корова? Я просто маленький зелёный лягушонок».

Сказка третья

Наверное, он всю жизнь был бы маленьким, но однажды случилось вот что.

Каждый знает, что он ищет. А что искал лягушонок, он и сам не знал. Может быть, маму; может быть, папу; а может быть, бабушку или дедушку.

На лугу он увидел большую корову.

— Корова, корова, — сказал он ей, — а ты хочешь быть моей мамой?

— Ну что ты, — замычала корова. — Я большая, а ты такой маленький!

На реке он встретил бегемота.

— Бегемот, бегемот, ты будешь моим папой?

— Ну что ты, — зачмокал бегемот. — Я большой, а ты маленький!..

Медведь не захотел стать дедушкой. И здесь лягушонок рассердился. Он нашёл в траве маленького кузнечика и сказал ему:

— Ну вот что! Я — большой, а ты маленький. И всё равно я буду твоим папой.

Сказка четвёртая

— А что такое бабочки? — спросил кузнечик.

— Цветы без запаха, — ответил лягушонок. — Утром они расцветают. Вечером они осыпаются. Однажды я видел на лугу: отцвела голубая бабочка. Её крылья лежали на траве — их гладил ветер. Потом пришёл я и тоже погладил. Я сказал: «Откуда эти голубые лепестки? Наверное, облетает голубое небо».

Если голубое небо облетит — оно станет розовым. Если голубое небо облетит — расцветёт солнце. А пока мы должны сидеть на лугу и гладить голубые лепестки.

Сказка пятая

Каждый хочет быть больше. Вот козлик — он хочет быть бараном. Баран хочет быть быком. Бык — слоном.

А маленький лягушонок тоже хотел стать больше. Но как, как это сделать? Потянуть себя за лапку? — не получается. За ушко — тоже. А хвостика нет...

И тогда он вышел в большое поле, сел на маленький бугорок и стал ждать, когда будет заходить солнце.

А когда солнце покатилось к закату, от лягушонка начала расти тень. Вначале она была, как козлик; потом — как баран; потом — как бык; а потом — как большой-большой слон.

Тут лягушонок обрадовался и закричал:

— А я большой слон!

Только большой слон очень обиделся.

— И никакой ты не слон, — сказал он лягушонку. — Это твоя тень — большой слон. А ты, ты просто так — большой чудак на закате дня.

ДНЕВНИК МЕДВЕЖОНКА

Я — медвежонок. Вчера я узнал об этом. Мне два с половиной месяца и три дня. Со мной часто происходят всякие смешные и весёлые истории. Моя мама говорит:

— Ты маленький, вырастешь большой, будут с тобой большие серьёзные истории.

Потому я и решил вести дневник: потом, когда вырасту, после каждой большой серьёзной истории буду читать свои маленькие смешные истории и громко смеяться.

Вот он мой дневник.

А вот его начало

Хорошо бродить по лесу. В лесу сосны

гудят: у-у-у! Кажется, будто рядом море. И всюду следы разные. Тут заяц проскакал, здесь олень прошёл, там тяжёлый мишка протопал. Однажды нашёл охотник под берёзой берестяной свёрток. Развернул его — картинки. Море, ветер свистит, птицы поют, и даже что-то нацарапано. Долго он не мог понять, что нацарапано. А потом старые охотники сказали ему. Медвежий дневник это. И один очень старый охотник перевёл этот дневник с медвежьего языка на русский. Так и появился этот дневник.

Понедельник

В понедельник у нас в лесу было жарко. Все ходили и вздыхали: «О, как жарко; у, как жарко; а, как жарко!» Я тоже говорил: «О, у, а». А ещё думал: куда спрятаться?

— Не самим прятаться, а солнышко спрятать надо, — сказал мой друг лисёнок.

Я сел на бугорок и закрыл один глаз — солнышко было. Сел на другой бугорок, закрыл оба глаза — нет солнышка, но всё равно почему-то жарко.

— Глупый, — засмеялся лисёнок, —

если ты, если я, если мы все в лесу закроем глаза, нас не будет. А солнышко всё равно будет.

Ступай-ка ты лучше домой затопи печь: пойдёт дым, закроет солнышко.

Пришёл я домой, затопил печь. Повалил дым и закутал солнышко. Но теперь в доме стало жарко. Открыл дверь — в лесу жарко.

Раньше в лесу было просто жарко. Раньше в лесу просто говорили: «А, как жарко!» А теперь в лесу было очень жарко, и все вздыхали: «О-о-о-о, как жарко; у-у-у-у, как жарко; а-а-а-а, как жарко».

А я молчал. Мне было обидно. О-о-о-о, как обидно; у-у-у-у, как обидно; э-э-э-э, как обидно.

Вторник

Во вторник я решил узнать, где живёт, где ночует солнышко.

Под вечер укатилось оно за горку, я — за ним. Оно за вторую, я — опять за ним. А оно — за третью! Да, видно, не догнать его! Махнул рукой, махнул ногой, головой махнул — домой вернулся. Подхожу к дому — что такое? Опять навстречу солнышко встаёт. Встаёт и улыбается: «Глупый ты, глупый, Мишка». А я и сам понял, что я глупый: разве догонишь солнышко? Нигде оно не живёт, нигде не ночует, всю жизнь катится и катится куда-то. Если хочешь догнать солнышко, надо всю жизнь катиться и катиться куда-то. Колобком, кувырком и мячиком. Конечно, и я покатился бы и кувырком, и колобком, и мячиком. Да вот боюсь.

Ещё спросят: что за косматое, лохматое солнышко такое? Даже могут сказать, что рыжий Мишка, наверное, съел жёлтое солнышко, теперь у него болит живот, вот он и валяется. Да ещё рычит... Противно слушать.

Среда

В среду я решил выдувать пузыри. Надул один пузырь — он лопнул. Надул второй — он тоже лопнул. И третий тоже — хлоп-хлоп!

Потом я взглянул на себя в зеркало и испугался: я раздулся, как пузырь. А что, если я лопну?

— Будет очень плохо, — сказала мама.
— Будет очень плохо, — сказал папа.

— Будет очень плохо, — сказал мой друг лисёнок.

Один только слон покачал головой: совсем, мол, не плохо, никто в лесу не станет баловаться. Тут я громко вздохнул и сразу похудел.

— Вот и хорошо, — сказал слон. — Иди теперь кушать, малыш.

Четверг

Наступил четверг. Ты, наверное, думаешь, что был дождик? Ведь всегда так говорят: «После дождика в четверг». Но в этот четверг никакого дождика не было. Было солнышко, был ветер, была звёздочка. А ещё было вот что. Сидел я, сидел и вдруг сказал:

— А правильно ли это: после дождичка в четверг? Ведь сегодня, в четверг, дождика нет, а есть солнышко. Значит, надо сказать: «После солнышка в четверг. После звёздочки в четверг».

Некоторым это очень не понравилось. Кто-то даже сказал:

— А не глупость ли это?

Но я думаю — нет. По-моему, даже очень хорошая пословица. После голубой звезды в четверг.

Пятница

В пятницу я пошёл на лужок собирать цветы и увидел что-то алое. Подумал, подул на него и принёс петуху:

— Петя, Петя, Петушок, золотой мой гребешок, не ты ли потерял бородку?

Взглянул Петушок и голову повесил:

— Глупый ты, медвежонок. Да ведь это не бородка, а маковый лепесток. Сейчас он живой, а вечером обязательно завянет.

И пришёл синий вечер, и пришла звезда, и завял мой лепесток, и мне стало грустно. Почему это синим вечером всё алое вянет? Вянут алые зори, вянут алые щёчки, вянут алые лепестки. И алые петушки тоже как будто вянут. Сидят в курятнике и молчат, молчат.

Суббота

А в субботу было совсем, совсем страшное дело. Я отправился на речку ловить рыбу.

Поймал одну — голубую. Поймал другую — золотую. Поймал третью — совершенно глупую. А потом из речки зачемто вылез большой зелёный крокодил. Он

108

раскрыл пасть и сказал хриплым голосом:

— Я тебя сейчас съем. Ты зачем ловишь мою рыбу?

Я сильно испугался, и мне захотелось громко крикнуть: «Мама!» Но от испуга я вдруг сказал: «Ам-ама».

Здесь уж испугался крокодил и тоже перепутал. Вместо грозного «ам-ам-ам» он сказал мне «мама».

Так мы с ним и разговаривали: я ему говорил грозно «ам-ама», а он мне грустно «мама».

Потом крокодилу стало стыдно. Он густо покраснел и уполз в синюю речку. Было ужасно смешно: такой большой, такой солидный крокодил и такой глупый. А может быть, он вовсе не большой? Ведь бывает и так: большой, большой, а сам маленький.

Воскресенье

Что было в воскресенье? Было солнышко, и я ничего не делал. Воскресенье только для солнышка рабочий день, а для меня и для всех — выходной.

ПРО ЦЫПЛЁНКА, СОЛНЦЕ
И МЕДВЕЖОНКА

Про меня и про цыплёнка

Когда я был маленький, я знал очень мало и всему удивлялся, и любил сочинять.

Летит, например, снег. Люди скажут — осадки. А я подумаю: наверное, где-то на синих лугах отцвели белые одуванчики.

Или, может, ночью на зелёной крыше присели отдохнуть весёлые облака и свесили белые ножки. И если облако потянуть за ножку, оно вздохнёт и полетит. Далеко полетит куда-то.

К чему я тебе всё это рассказываю? А вот к чему. Вчера в нашем курятнике случилась удивительная вещь: из белого куриного яйца проклюнулся жёлтый цыплёнок. Вчера он проклюнулся, а потом весь день, всю неделю всему удивлялся. Ведь он был маленький и всё видел впервые. Вот о том, как он был маленький и всё видел впервые, я и решил написать книжку.

Хорошо быть маленьким. А ещё лучше — всё видеть впервые.

Удивление первое

Чему удивился цыплёнок вначале? Ну, конечно, солнышку. Он взглянул на него и сказал:

— А это что? Если это шарик, то где же ниточка? А если это цветок, то где его ножка?

— Глупый, — засмеялась мама-курица. — Это же солнышко.

— Солнышко, солнышко! — пропел цыплёнок. — Надо запомнить.

Потом он увидел ещё одно солнышко, в маленькой капельке.

— Маленькое солнышко, — шепнул он ему в жёлтое ушко, — хочешь, я отнесу тебя в наш маленький дом, в курятник? Там темно и прохладно.

Но солнышко там не захотело светить. Опять вынес цыплёнок солнышко на улицу и топнул лапой:

— Глупое солнышко! Где светло — светит, а где темно — светить не хочет. Почему?

Но никто, даже самые большие и взрослые, не могли объяснить ему это.

Удивление второе

А чему удивился цыплёнок потом? Опять солнышку.

Какое оно? Конечно, жёлтое. Таким цыплёнок увидел его впервые и решил, что таким оно будет всегда.

Но однажды озорной ветер размотал золотой клубочек. На пути, где ходило солнышко, от зелёных холмов до синей речки, протянулась разноцветная радуга.

Взглянул цыплёнок на радугу и улыбнулся: да ведь солнышко совсем не жёлтое. Оно разноцветное. Как матрёшка. Открой жёлтую матрёшку — в ней синяя. Открой синюю — в ней зелёная. Открой зелёную — в ней голубая. А в голубой ещё красная, оранжевая...

Так и солнышко. Если раскатать, размотать его клубочек, будет семь цветных полосочек. А если каждую из этих полосок смотать отдельно, будет семь цветных солнышек. Жёлтое солнышко, синее, голубое, зелёное — всякие солнышки.

А сколько дней в неделе?

Тоже семь.

Значит, каждый день взойдёт какое-нибудь одно солнышко. В понедельник, например, — синее, во вторник — зелёное, в среду — голубое, а в воскресенье — жёлтое. Воскресенье — весёлый день.

Как цыплёнок
впервые сочинил сказку

Да очень просто: взял и сочинил. Рассказали ему как-то сказку о домике на курьих ножках. Подумал он и придумал тут же другую: сказку о домике на телячьих ножках. Потом о домике на слоновьих ножках. Потом о домике на заячьих ножках.

У домика на телячьих ножках росли рожки.

У домика на заячьих ножках росли ушки.

У домика на слоновьих ножках висела труба-хоботок.

А у домика на курьих ножках алел гребешок.

Домик на заячьих ножках запищал: «Хочу прыгать!»

Домик на телячьих ножках замычал: «Хочу бодаться!»

Домик на слоновьих ножках запыхтел: «П-ф-ф! Хочу в трубу дудеть!»

А домик на курьих ножках пропел: «Ку-ка-ре-ку! Не пора ли вам спать ложиться?»

Тут во всех домиках погасли огни. И все уснули.

Про друзей

Друзей у цыплёнка было мало. Всего один. Это потому, что он искал друзей по цвету. Если жёлтый — значит, друг. Если серый — нет. Если бурый — тоже нет. Шёл как-то цыплёнок по зелёной дорожке, увидел жёлтую ниточку и пошёл, и пошёл по ней. Шёл, шёл и увидел жёлтую гусеницу.

— Здравствуй, жёлтая, — сказал цыплёнок, — это ты, наверное, мой жёлтый дружок?

— Да, — проворчала гусеница, — наверное.

— А что ты тут делаешь? — с интересом спросил цыплёнок.

— Не видишь разве? Тяну жёлтый телефон.

— А зачем?

— Не догадываешься? Голубой колокольчик, что живёт в лесу, и синий колокольчик, что живёт на лугу, решили сегодня позвонить друг другу.

— А зачем? — спросил цыплёнок.

— Наверное, чтобы узнать о погоде. Ведь в дождь они закрываются.

— И я тоже, — сказал цыплёнок и спрятал голову. И тем очень удивил гусеницу.

114

Она очень долго не могла понять, кто же это — цветок или птица?

— Наверное, цветок, — решила гусеница и подружилась с цыплёнком. Ведь гусеницы боятся птиц.

Что делали два жёлтых друга

Что любят делать все маленькие? Играть. Плясать. Выдувать пузыри. Шлёпаться в лужу.

А ещё маленькие иногда грустят. А ещё иногда плачут.

Почему они грустили

Был понедельник. Вот почему. В этот день они обманули своих мам. Они сказали им: «Мы пойдём на лужок». А сами пошли на речку ловить карасей.

Конечно, если бы это был мальчик, он бы покраснел. Если девочка — тоже.

Но они были жёлтый цыплёнок и жёлтая гусеница. И они весь день желтели, желтели, желтели. А к вечеру стали такие жёлтые, что на них никто без синих очков не мог смотреть. А кто смотрел без синих очков, тот вздыхал и плакал: «Как всё это печально! Как это всё печально!

Они обманули своих мам! И теперь такие, такие жёлтые в такой синий вечер!»

А во вторник

Во вторник они решили запустить змея. Весь день цыплёнок склеивал его, а гусеница тянула жёлтую ниточку. Потом они привязали ниточку. Дунул ветер, и змей улетел так далеко, что его не стало видно.

Проскакала мимо лягушка. Засмеялась:

— Ниточку дéржите, а змея потеряли!

Пробежал мимо козлик, засмеялся:

— Дéржите ниточку, а где же змей?

Надоело цыплёнку и гусенице объяснять, почему змея нет. Когда у них то же самое спросил поросёнок, они сказали ему:

— Это, хрюк, вовсе не змей. Мы привязали ниточку к солнышку, а оно ушло за гору. Мы его держим за ниточку, чтобы оно совсем не ушло. А утром смотаем ниточку и опять встанет жёлтое солнышко.

Но утром, когда они смотали ниточку, вместо солнышка почему-то приплыла туча, и весь день лил дождь и гремел гром.

И все ругали жёлтых друзей. Разве можно шутить с дождём и солнышком?

Почему они смеялись

В среду решили они играть в прятки. Утром решили, в обед считались:

— Раз-два-три-четыре-пять! Кто играет — тот бежать!

Убежал цыплёнок и спрятался под крылечко. Уползла гусеница и спряталась под листочек. Ждут, кто кого найдёт. Час ждали — никто никого не нашёл. Два ждали — никто никого не нашёл...

Наконец вечером нашли их мамы и отчитали:

— Разве это прятки? Прятки — это когда кто-нибудь от кого-нибудь прячется. Кто-то кого-то ищет. А когда все прячутся, это не прятки! Это что-то другое.

В это время загремел гром. И все спрятались.

Как цыплёнок встретил гусёнка

— Странно, — пропищал цыплёнок, — сам белый, а лапы розовые. Ты что, ботиночки розовые надел?

— Нет.

— Так что же?

— А я их в холодной воде мыл, вот они у меня и покраснели.

— А если я буду мыть лапы в холодной воде, у меня тоже покраснеют?

— Тоже не тоже, так же не так же, а попробуй.

И тут пошли жёлтая гусеница и жёлтый цыплёнок к синей холодной воде, и стала гусеница поливать из ковшика на лапки цыплёнка воду. Ждал цыплёнок, когда будут у него лапки розовыми, а лапки почему-то стали синими. Тут уже все засмеялись: «Это что такое? Жёлтый цыплёнок на синих ножках. Разве не смешно? Очень смешно!»

* * *

Я рассказал тебе, почему бывает грустно. Я рассказал тебе, почему бывает смешно. А знаешь ли ты, что иногда бывает и грустно и смешно. Так было однажды и с цыплёнком.

В воскресенье он спросил у гусеницы:

— Как стать большим?

— Надо больше кушать, — серьёзно ответила гусеница. — Мальчику надо кушать кашу, девочке — кисель. А тебе, желторотый, лучше всего есть клюкву. Съешь одну клюквинку, и вырастет у тебя красный гребешок. Съешь другую — вырастет красная бородка.

Съел цыплёнок одну клюквинку — и не вырос. Съел другую — то же самое. Заплакал цыплёнок, и от слёз у него покраснели глазки. Все смотрели на цыплёнка и не могли понять, что с ним. Если глазки покраснели оттого, что он съел красную клюквинку, — это смешно. Если оттого, что он плакал, — это уже грустно. Никто не мог ничего понять. И сам цыплёнок тоже.

Весь день он смеялся и весь день плакал.

Взрослые говорят: это смех сквозь слёзы. А я думаю, что это просто на жёлтых одуванчиках капельки росы. Вот что такое жёлтый смех сквозь первые слёзы.

Ну вот и всё.

— Как всё, разве это конец? — спросишь ты.

— Нет, не конец. Разве хорошо, когда что-то хорошее кончается? Когда я был маленький и знал очень мало, мне всегда было грустно, если что-то хорошее быстро кончалось. Хороший день. Хороший вечер. Хорошее солнце.

И цыплёнок и гусеница тоже очень хорошие. Так зачем же мне придумывать конец?

В МЕДВЕЖАЧИЙ ЧАС

Когда я был маленьким, я ходил в детский сад. Недавно я узнал: и звери тоже ходят. Да, да. Мой знакомый ослик и его друзья, поросёнок и медвежонок, придумали, например, свой детский сад.

И у них всё, как в настоящем детском саду. Даже расписание есть, когда они что делают.

Вот, например, утром. Утром они слонячут, а это значит — хорошо и много едят.

Потом свинячут. Ну, это и без слов ясно. Просто сидят в грязной луже.

Затем они утятют — моются.

И вновь слонячут — обедают.

А после обеда медвежачут — крепко спят.

Очень хорошее расписание, не правда ли? Когда я его прочёл, мне очень понравилось оно. До того понравилось, что решил я сам пожить в детском саду.

Целый год я жил там, слонячил, утятил, а иногда, если с кем-нибудь происходило что-то смешное, я записывал. Вот почему я назвал эти сказки «В медвежачий час». Я писал их, когда все спали.

Как ослик купался

Пришёл длинноухий к речке, а вода холодная. Опустил он ножку и заворчал: бррр...

Выглянул из воды лягушонок и спросил:

— Чего вы тут кричите: бррр?!

Ослику стало стыдно, что он боится холодной воды.

— А я, я потому что бррр... Просто я ем брёвна. Понятно?

— Понятно, — сказал лягушонок. — Значит, вы есть тот самый страшный крокодил.

— Совершенно точно, — кивнул ослик.

— А, простите, пожалуйста, — опять спросил лягушонок, — а кроме брёвен, вы что-нибудь ещё можете есть? Я слышал, паровоз даже.

— Совершенно точно, — кивнул ослик.

— Ну, а почему тогда, — заквакал лягушонок, — вы такой худой?

— Просто, — ответил ослик, — опоздал сегодня съесть поезд. Я пришёл, а он ушёл в Африку греть животик.

121

— Понятно, — сказал лягушонок. — В Африке жарко. И если там долго греть живот, он растает, и вместо паровоза получится корыто.

— Ну и что, — сказал ослик. — Корыто ведь съесть ещё проще.

— Вот, вот, — запрыгал лягушонок, — я тоже так подумал. Почему и заговорил о паровозе. Дорогой крокодил, у меня есть корыто. В нём мама купает меня в чистом дождике. Мне это не нравится. Ведь я... люблю грязь. Так не поможете ли вы и не съедите ли это проклятое корыто на завтрак?

И тут ослик захохотал:

— Ну и хитрец! Я хотел его обмануть, а выходит, он обманул меня. Так слушай же, грязнуля. Я не крокодил, конечно. Но если ты не будешь мыться, явится настоящий крокодил и съест тебя. Больше всяких брёвен и корыт они любят грязных лягушек. Мойся скорей!

Где верёвочка?

Ослик любил говорить: «Всё на свете просто, просто». Это, наконец, надоело Мишке, и он сказал:

— Если всё просто, то объясни, например, почему звёзды висят в небе и не падают. Разве это просто?

— Конечно, — сказал ослик. — Они на ниточке.

— Ну, а Земля?

— Земля она большая и толстая. Она на верёвочке.

— А интересно знать, — буркнул медведь, — где та верёвочка?

— Наверно, где-то есть. Просто посмотреть надо.

Они пошли и посмотрели. Вначале они увидели колышек. Потом верёвочку. А на верёвочке — маленького козлёнка.

— Вот, — захохотал медвежонок, — один козлик держит всю нашу Землю! Не правда ли, это очень смешно, ослик?

— Нет, — вздохнул ослик, — это совсем грустно. Ведь очень трудно такому маленькому держать такую большую Землю!

Пироги

Однажды ослик, поросёнок и медвежонок пекли пироги. И вдруг ослик сказал:

— А вы знаете, недавно я читал старую книгу. Там лодки назывались так — пиро́ги. Наверное, их тоже пекли?

— Конечно, пекли, — завизжал поросёнок. — А если они начинали течь, то дырочки затыкали изюмом.

— Хо-хо! — захохотал медвежонок. — А это очень вкусно. Давайте испечём такую пиро́гу и немного поплаваем в ней.

— Ура! — закричали ослик и поросёнок и принялись за дело.

Удивительная получилась пирога. Вкусная и большая-большая. Даже слон смог бы в ней плавать. А ослик, поросёнок и медвежонок уселись совсем свободно. И поплыли.

День плыли, два.

Кушать захотели. Съели шоколадный парус.

День плыли, два.

Кушать захотели. Съели пряничные вёсла.

День плыли, два.

Кушать захотели. Стали выковыривать изюм.

И тут пирога пошла ко дну.

— По-моему, тонем, — захрюкал поросёнок.

— Да, да, — ответил ослик, — уже давно.

— Что же делать?! — закричал Мишка.

— Пл-о-отик. В крушениях всегда-а, — заплакал ослик, — делают пло-о-о-тик.

— А, — заворчал медведь, — знаю. Плотиком будет тот, кто плотнее всех поужинал. Толстяки не тонут.

Медвежонок стукнул каждого по животу и сказал:

— Поросёнок будет плотиком.

Ослик и медвежонок сели поросёнку на спину и поплыли.

Они плыли так до самого берега. И только рыбам было жаль поросёнка. Они вздыхали и говорили:

— У этого плотика очень грустный мотор. Он без конца хрипит и хрюкает.

Половичок

Ты знаешь, как умел ослик шутить. Собственно говоря, это было единственное, что его выручало.

Вот, например, однажды был такой случай. Пошёл ослик на луг ловить бабочек. Ходил, ходил — никого. И вдруг под кустами — что-то большое, пятнистое.

«О, — подумал ослик, — вот это бабочка!»

И хлопнул ослик её сачком. А бабочка как зарычит:

— Какое безобразие! Кто посмел это сделать!

— Я, — сказал ослик. — И совсем это не безобразие. Вот ты ведёшь себя безобразно, бабочка, раз так рычишь. Бабочки не должны рычать.

— Да я не бабочка, — опять зарычало под кустом, — я тигр.

— Тигр, — испугался было ослик. — Надо спасаться! — И тут же сообразил: — Нет, ты не тигр, — сказал он. — Какой же ты тигр, если у тебя на голове колпак? Ты просто шут.

— Какой шут? — удивился тигр.

— Гороховый, — сказал ослик. — И тебе надо есть горох.

— А это вкусно? — спросил тигр.

— Вкусней всего-всего на свете! — ответил ослик.

— А дай попробовать, — попросил тигр.

— Ладно, — сказал ослик. — Только вначале ты сделаешь то, о чём я попрошу. Итак, значит, я тебя два раза стукну, а ты промолчишь.

— Хорошо, — кивнул тигр, — потерплю немножко ради твоего гороха.

А ослик скорей побежал домой и сказал:

— А вы знаете, поросёнок и медвежонок, я купил прекрасный половичок. Такой полосатенький... Взгляните.

И показал на тигра.

Взглянули друзья и заплакали:

— Зачем ты привёл его, он нас съест?!

— Трусишки, — закричал ослик. — До чего дожили, половиков даже стали бояться. А ну, смотрите, сейчас я буду из него выбивать пыль.

И ослик взмахнул палкой и изо всей силы стукнул тигра по носу.

— Ой! — закричал тигр. — Не надо мне гороху. Не надо!

И он зажал нос лапой и убежал в лес.

Ну, а ослик? Ты думаешь, он радовался? Нет, он был настоящий шутник. Поэтому он и сказал с грустью:

— Ну вот видите, какие вы плохие. Всё вам не нравится. Из-за вас убежал такой прекрасный половичок. Никогда я его больше не увижу.

И тут ослик заплакал, а медвежонок и поросёнок стали его утешать:

— Прости нас, мы совсем глупые.

Самолётик

Ослик ходил и с самого утра кричал: «Уу-уу!»

— Что ты делаешь? — спросил его медвежонок.

— Моторчик, — сказал ослик.

— А зачем?

— Понимаешь, — объяснил ослик. — Я сделал деревянный самолёт, а он не летает. Нет моторчика. Вот теперь, если я в него сяду и закричу, как моторчик, «уу», то он полетит, наверное.

— Конечно, полетит! — закричал глупый медвежонок.

Ему очень хотелось летать.

И они тут же сели на самолётик.

— Уу-уу-уу, — загудел ослик. Но самолёт ни с места.

— Ты почему не летишь? — спросил ослик у самолёта. — Разве не слышишь, как гудит твой моторчик?

— Слышу, — ответил самолётик.

— Тогда в чём же дело? — топнул ногой ослик.

— А мне кажется, — сказал самолётик, — что у меня не тот моторчик. Настоящие моторы надо заводить.

— Ах так! — рассердился ослик. — Я настоящий моторчик. — И он махнул хвостиком и крикнул медвежонку: — Заводи!

Медвежонок схватился за хвост и дёрнул. И ослик уже готов был крикнуть «у-уу!» Но медвежонок очень сильно дёрнул. И потому вместо «уу» ослик вдруг крикнул: «Ай-ай-ай!» И совсем испугался. И не полетел. Ведь моторчики не могут летать, когда вместо «уу» говорят вдруг «ай».

Спор

Ослик и медвежонок всегда спорили. Это потому, что один говорил «всё приходит», а другой — «всё уходит».

Просыпался утром медведь и радовался:

— Смотри, пришло утро!

— Ну да, — плакал ослик, — ведь ушла ночь.

И днём было так же. Опять медведь кричал:

— День явился!

И снова плакал ослик:

— Ну да, ведь ушло утро.

А однажды было вот что. К ним в гости пришёл слон.

— Смотри, смотри! — заорал Мишка. — К нам пришёл слон!

— Ну да, — заплакал ослик, — ведь он ушёл из дома.

Град

Когда был град, ослик всегда прятался. Больно было.

В тот град он тоже спрятался, но вдруг подумал: «Да, я сижу в домике, и мне не больно, но домику-то ведь больно. Надо его спрятать».

Ослик залез на крышу и закрыл домик зонтиком.

— Всё хорошо, — сказал он.

Но вдруг опять подумал: «Теперь мне не больно, но зонтику, наверное, больно. Как же быть?»

— Глупый ослик, — заворчал медвежонок. — Всех от града никогда не спрячешь. Кому-нибудь да будет больно.

— Если так, — сказал ослик, — пусть будет больно мне. — И он сделал над зонтиком крышу и стал по ней бегать — защищать её от града.

Наконец град кончился.

Медвежонок пожал ослику ушко и сказал:

— Ты очень добрый...

— Что ты, что ты, — замахал на него ослик ушами. — Просто я жалкий ослик и мне всех жалко.

КАК ЛЯГУШКИ ЧАЙ ПИЛИ

Маленькие сказки

* * *

Ночью вышли сверчки играть на скрипочках. Только маленький сверчок потерял свою. Думал он, думал и придумал. Отломил две палочки от лунного луча и заиграл. Так играл он до самого утра. А утром растаяла луна и лунная скрипочка тоже.

* * *

Утром с дерева упали дождевые капли. Услышал их муравей и сказал муравьишке: «Пора вставать, уже семь капель пробило!»

* * *

Замела метель все рыжие листики и легла под куст отдохнуть. Вдруг видит, ещё один — большой-большой.

— А ты откуда взялся, листик?

Засмеялся листик:

— Я не листик. Я рыжий лисёнок.

* * *

Лягушонок скакал по полю и махал прутиком.

— Что ты делаешь? — спросил его кузнечик.

— Пасу ветер. Чтобы он не ходил к пруду и не морщил воду.

* * *

Бельчонок родился весной. Всё вокруг было зелёным. А когда появился первый красный лист, бельчонок испугался: «Пожар! Пожар!»

Он дул, дул на лист, а лист всё равно оставался красным.

Потом покраснели и остальные листья... Пришла осень.

С тех пор в том лесу говорят: осень приходит тогда, когда глупые бельчата дуют на первые красные листья.

* * *

Откуда-то сверху опустилась на жёлтой нитке жёлтая гусеница.

— Ты откуда? — спросил её цыплёнок.

— Не видишь разве?! С жёлтого солнышка. Я его на ниточке держу, чтоб не закатилось.

* * *

Утром — роса на цветах, на листьях и даже на иголках у ёжика.

Встретил мышонок ёжика и сказал:

— Грустный ёжик. Совсем грустный. Даже иголочки плачут!

Ёжик улыбнулся: «Смешной мышонок».

* * *

Нашёл поросёнок в луже месяц, накрыл лопушком. Пусть до утра полежит. Утром поиграю.

А на заре поднял лопух и удивился: вместо месяца в лужице плавало красное солнышко.

* * *

Встретил ослик жеребёнка в яблоках и сказал:

— Ну и что, подумаешь!

Взял и налепил себе на бока разные листики. Глупый ослик. Думает, что он теперь всегда будет такой красивый!

* * *

Встал журавлик на одну ножку. И так стоял. Долго, долго...

А потом вспомнил, что есть вторая ножка, — и пошёл.

* * *

Летел в небе лебедь, обронил пёрышко. Поймал пёрышко зайчик и подумал: «Первая снежинка. Скоро зима...»

* * *

Один слонёнок всё хлопал и хлопал ушами.

— Ты что, мух отгоняешь? — спросил жираф.

— Нет. Хочу полететь... Как птицы...

— Если ты полетишь, то как же опустишься? Надо парашют.

— Да, да, — кивнул слонёнок и сорвал одуванчик.

Не хотел ослик работать. Заупрямился: «Не буду». Снял хомут. Снял дугу. Привязал к дуге верёвочку. Нарвал в огороде луковых стрел и стал стрелять в солнышко. «Попаду? Не попаду? Попаду — на солнце лук вырастет зелёный!..»

* * *

Бежали по кругу карусельные лошадки: цок-цок. Потом начали спорить: кто первый.

— Я первая, — сказала лошадка с золотой гривой.

— Я вторая, — сказала лошадка с серебряным хвостом.

— Я третья, — сказала лошадка с медными подковками.

Побежали. Пробежали круг, пробежали второй. Опять встали.

— Нет, — заплакала золотая гривка, — я не буду больше бегать. Если я первая, то почему впереди меня последняя?

* * *

Покраснел помидорчик на один бок. Теперь — как маленький светофорчик:

там, где солнышко взойдёт, бок — красный; где луна — зелёный.

* * *

На лугах спит белый мохнатый туман.

Трубку он курит. Дым под кусты он пускает...

* * *

Вечером у синей-синей реки из белых-белых кувшинок пили чай зелёные лягушки.

* * *

Однажды выросли у оленёнка на голове ветви — рожки. Ждал оленёнок, когда листья будут. Осень пришла, на деревьях листва осыпалась, а он всё ждал, ждал.

* * *

— Ши-ши-ши, — шуршит осока. — Тише, тише... Камышшши. Рыба в омуте уснула. Попрошу вас не шуметь.

Берёзка спросила сосну, куда она так
тянется.

— К небу.

— Зачем?

— Хочу облачко-парус надеть на вер-
хушку.

— Для чего?

— За голубую речку, за белую горку
улететь.

— К чему?

— Посмотреть, куда солнышко садится, где оно, жёлтое, живёт.

* * *

Вышел звёздной ночью гулять ослик.
Увидел в небе месяц. Удивился: «А где
же ещё половинка?» Пошёл искать. В
кусты заглянул, под лопухами пошарил. Нашёл её в саду в маленькой лужице. Посмотрел и тронул ножкой —
живая.

* * *

Шёл дождь, не разбирая дороги, по
лугам, по полям, по цветущим садам.

Шёл, шёл, споткнулся, вытянул длинные ноги, упал... и утонул в последней луже. Лишь пузырьки кверху пошли: буль-буль.

* * *

Мальчик гулял во дворе. Пришёл домой мокрый и грязный.

— Где ты был? — спросила мама.

— В луже...

— А что там делал?

— С солнцем в ладушки играл: хлоп, хлоп!

* * *

Ветер на листьях гадал, скоро ли будет зима: «Скоро? — Не скоро. Скоро? — Не скоро...» Последний листок оторвал, полез в трубу печную греться.

* * *

Весна уже, а ночами холодно. Мороз студит.

Показала верба почки-пальчики и надела на них меховые варежки.

Нашли гусь с лягушкой на дороге кленовый листок. Поспорили, чья эта лапка.

«Твоя, — толкует гусь, — зелёная».

Забрала лягушка листочек. А через неделю его обратно гусю принесла. Порозовел листочек по краям, будто гусиная лапка.

* * *

Нарисовал мальчик солнышко. А кругом лучи — ресницы золотые. Показал папе:

— Хорошо?

— Хорошо, — сказал папа и нарисовал стебелёк.

— У! — удивился мальчик. — Да это подсолнух!

* * *

Нарисовал жираф сам себя. Посмотрел и удивился: получился подъёмный кран.

Вылез ночью из норы мышонок, звёзды посмотреть. Посмотрел и испугался: будто кошкины глаза.

* * *

Обмоталась белая зебра чёрной лентой и принялась всех донимать: «Ну отгадайте, какая я — чёрная или белая? Белая или чёрная?»

МИР ВОКРУГ ТЕБЯ

Серьёзные рассказы

СЕРЬЁЗНЫЕ РАССКАЗЫ ПЛЮШЕВОГО МИШКИ

Эту унижку написал мой друг, плюшевый медвежонок.

Попросили меня однажды рассказать детям о Земле. Попробовал я, попробовал — ничего не получается.

И тут мой Мишка сказал:

— Дядя Гена, вы ужасно большой и, наверное, уже забыли, как разговаривать с детьми. Так вы лучше расскажите о Земле мне, а я перескажу ребятам.

Вот как у Мишки вышло.

Что такое наша Земля

Давным-давно твои прапрабабушки и твой прапрадедушка думали: Земля — это большое блюдечко. Большое блюдечко держат три кита. Три самых больших, три самых добрых кита.

Да, добрых. Усатые киты даже очень заботились о своём блюдечке.

Когда, например, блюдечку было жарко, добрые киты взмахивали хвостами, и тогда дул ветер.

Ну, а если киты пускали из ноздрей фонтаны, то шёл долгий дождь.

Только не очень надо верить этому. Это просто красивая старая сказка.

А что же правда?

Земля наша круглая. Толстая и круглая, как арбуз. Да, да... И я думаю это лучше, чем блюдечко.

Каждую ночь и день Земля наша крутится.

Зачем?

Да просто ей нельзя, дружочек, иначе. Солнце может осветить только одну половинку Земли. Значит, на одной половине всегда будет день, а на другой ночь.

Если, например, я живу в Москве, то ночевать надо в Гаване.

Устанешь ходить.

И чтобы этого не случилось ни с тобой, ни со мной, Земля и крутится.

Светит Солнышко, освещает одну половину Земного шарика — там день, на другой — ночь.

Повернулась Земля — и всё наоборот, там где был день, теперь ночь, а где ночь — день.

Ну, если я рассказал про день и ночь, то должен рассказать о зиме и о лете.

Земля наша не только крутится вокруг себя. Она ещё любит путешествовать! — и ежегодно объезжает вокруг Солнца.

Дорога длинная, длинная. Земля спешит, даже наклонилась. Поэтому Солнце согревает усиленно вначале северную половину шара, потом южную. Вот смотри: сейчас Солнышко меня согревает. Мне жарко, у меня лето.

А у моего бедного друга ослика зима, и у него замёрзли уши, и он надел на них варежки.

А через полгода всё наоборот...

Вот так и ездим мы от зимы к лету. И от лета к зиме.

Честно говоря, когда я был совсем маленький, я не раз шептал Земле: «Остановись, остановись, пусть всегда у меня будет зелёное лето!»

Но она так и не остановилась.

А сегодня я уже понимаю — это правильно. Добрая Земля наша любит всех одинаково: и меня, и ослика, и тебя. У каждого должно быть и лето и зима.

Поехали мы как-то с осликом на Северный полюс — холодно там. Поехали на Южный — тоже холодно. Так холодно, что плакать даже нельзя. Если заплачешь, слёзы сразу застынут сосульками.

Ты спросишь: «Почему так? Почему там холодно?»

А вот посмотри. Земля путешествует вокруг Солнца, как бы лёжа на боку. И Солнышку до полюсов дотянуться трудно.

Посредине лучи Солнца прямо в Землю ударяют. А на полюсах они только гладят её.

На полюсах, наверное, Солнышко надо ловить. Мы с осликом ловили. Но разве его поймаешь? А вот на экваторе, поясе Земли, наоборот — оно тебя ловит.

Ты спросишь: «Как это ловит?»

А вот смотри:

Видишь, сколько бы Земля ни кружилась вокруг Солнышка, она обязательно поворачивается так, что её серединка всегда под лучами Солнца. И здесь ближе всего до Солнца.

Солнце ловило его слёзы. Слёзы высыхали, не успев упасть.

Много я рассказал тебе о Земле, но это не всё.

Ещё на Земле есть моря, горы, реки, пустыни.

Но о них я расскажу тебе потом.

На краю Земли

А ты знаешь о том, что Земля наша круглая? Нет. И маленький медвежонок тоже совсем не знал этого.

Когда шёл град, он, например, говорил: Земля ваша похожа на барабан.

Бум

Бум

Бум

Слышите, как звенит она, когда идёт град?

Ну, а если шёл снег, он повторял грустно: да, да. Земля наша похожа на большую пуховую подушку. Мне очень, очень хочется спать.

И, наверное, сегодня он говорил бы то же самое. Но вот однажды он поссорился со своим другом осликом. Ослик очень обиделся и сказал: я навсегда ухожу от тебя, медвежонок. Прощай.

Ослик взял чемодан, одел шляпу и отправился к синему морю.

— Уеду от тебя за море, — сказал он медвежонку.

А тот не знал, что делать. Он только сопел носом и повторял:

— А может, не надо.

Но упрямый сердитый ослик всё твердил: нет, нет. Обязательно уеду за море.

Свистнул пароход, взметнулись на берегу чайки. Ушли провожающие. А медвежонок всё не уходил и не уходил с пристани. Он никак не хотел расставаться со своим другом. Подняв лохматую лапу, медвежонок смотрел вслед кораблю.

И вот корабля почти не стало видно. Только дымок.

— Пора идти домой, — сказал медвежонку портовый сторож.

Но медвежонок покачал головой и полез на холмик.

И вновь стал виден кораблик, труба, большие серые паруса, уши ослика. Но прошёл час, и вновь только дымок.

— Пора, пора идти домой, — вновь крикнул портовый сторож.

Но медвежонок покачал головой:

— Нет! — И полез на сосну.

И уже в третий раз хотел сказать сторож, что пора. Но медвежонок надул пузырь и взлетел в небо.

Светились звёзды. Бодастый месяц шевелил рожками.

И там, среди звёзд, рядом с месяцем сидел теперь в небе медвежонок и смотрел вниз. И сказал он только:

— Ах, ах, как удивительно. Да. Отсюда сверху отлично видно, что Земля — шарик и вдоль этого шарика, точно маленький муравей, ползёт кораблик.

И хотя медвежонок боялся испугать звёзды, он всё-таки сказал:

— Простите... — а потом громко и весело крикнул: — Ура, Земле! Ура, что она круглая! Ура, что она не барабан, и не подушка!

Ты, конечно, не понимаешь, почему он кричал. Но я скажу. Ведь если по круглой Земле плыть и плыть бесконечно, то вернёшься туда, откуда начал свой путь.

И медвежонок знал, что его друг ослик рано или поздно, но вернётся к нему.

Так и было. И так всегда будет: сколько бы мы ни путешествовали, мы всегда возвращаемся к друзьям. Ведь Земля круглая и мы обязательно где-то должны встретиться.

И не только медведи, но и люди, когда впервые узнали об этом, тоже кричали «ура»!

ЧТО У НАС ВО ДВОРЕ?

ЧТО У НАС ВО ДВОРЕ? **Наш дом.** Он большой. Белый-белый, а крыша у него розовая. На крыше — антенны телевизоров, как мачты на корабле. А в праздник — на доме флажки и флаги. И тогда дом совсем похож на пароход. Такой красивый пароход я видел на картинке.

ЧТО У НАС ВО ДВОРЕ? **Мухомор-великан.** У него красная шляпа, а на шляпе — пуговки белые. Хорошо в дождь сидеть под ним. Только грустно. В дождь всё растёт, даже палочки. Недавно я посадил тополиную палочку, и она выросла. А гриб, он тоже деревянный, но совсем не растёт. Очень жалко.

ЧТО У НАС ВО ДВОРЕ? **Дерево.** Зовут его тополь.

Если ветер, тополь смеётся:

— У-у-у...

Если дождь, — плачет:

— Кап-кап...

А весной с тополиных ветвей пух летит. И говорят, говорят люди — к нам тополиная зима явилась!

ЧТО У НАС ВО ДВОРЕ? **Качели.** И мы по очереди качаемся — кто выше! А вчера к качелям подошёл какой-то дедушка.

«Неужели он тоже будет качаться?!» А дедушка вдруг стал к чему-то прислушиваться. «Интересно, что он слушает?»

А дедушка нам говорит:

— Я моряк, вот и слушаю: качели скрипят, точно корабельные снасти.

Теперь я тоже часто слушаю, как скрипят качели. Послушаю, послушаю, закрою глаза и синее море вижу. Там я ещё никогда не был.

ЧТО У НАС ВО ДВОРЕ? Клумба. А на ней цветы, цветы... Большие цветы золотой головой качают. А маленькие просто лепестками машут, будто бабочки.

А однажды я и вправду решил, что это бабочки. Поймал. Смотрю, а у них зелёные ножки в землю уходят. И мне их стало жаль. Ведь обидно... Обидно ведь целый день махать крылышками и не улететь никуда-никуда.

Но потом я подумал: «А может, это правильно? Улетели бы цветы, заблудились, а наш двор без цветов пустой-пустой бы стал».

ЧТО У НАС ВО ДВОРЕ? Сад. А в саду домик. И не просто домик. Домик тот на цветок похож. У него голубая крыша и длинная-длинная ножка. Живёт в домике-цветке весёлая птица скворец. Скворец всё лето поёт, поёт, а осенью улетает. Тогда домик пустой и скучный. Если подойти к нему и приложить ухо к ножке, то услышишь «у-у-у...» — будто длинная ножка плачет.

ЧТО У НАС ВО ДВОРЕ? **Спортивная площадка.** Большая — для взрослых. А рядом — поменьше. Здесь играем мы. Прыгаем, бегаем. А ещё у нас там есть большие игрушки. Лошадь, например. Эта лошадь деревянная. А ещё она смешная: зелёная. Но разве бывают зелёные лошади?! Вот я и думаю: пойдёт эта лошадь однажды на луг, а там спросят:

— Ты кто?

— Лошадь, — скажет лошадь.

И все захохочут:

— Какая ты лошадь?! Ты — большая зелёная лягушка!

ЧТО У НАС ВО ДВОРЕ? **Песочница,** а в ней песок. Там я песочный дворец построил. Посадил во дворец котёнка, а котёнок его разломал. Посадил во дворец щенка, а щенок его рассыпал. А теперь я построил большую крепость, и в ней живёт храбрый оловянный солдатик. Конечно, эту крепость теперь уже никто не тронет.

ЧТО У НАС ВО ДВОРЕ? **Фонари.**

Один высокий, на жирафа похож. А другой фонарь похож днём на сундучок, а вечером — на аквариум. Да, да. Если вечером идёт снег, кажется, там, за толстым стеклом, плавает золотая рыбка.

ЧТО У НАС ВО ДВОРЕ? Месяц. Он светит ночью, а днём месяца нет.

Я спросил папу:

— Почему месяца нет?

А папа ответил:

— А зачем днём месяц, если солнышко есть.

А я сказал:

— Если месяц и солнышко светили бы вместе, светлей было бы.

А папа только засмеялся.

Тогда я дедушку спросил:

— Почему днём нет месяца?

Дедушка улыбнулся в усы и ответил:

— Наверное, месяц добрый. У него рожки, и он боится забодать солнышко. Вот потому днём спит.

— А где он спит? — спросил я дедушку.

— Где-то под кустиком, — сказал дедушка.

Теперь я под каждый кустик смотрю. Ищу добрый месяц. А может, найду всё-таки.

ЧТО У НАС НА УЛИЦЕ?

Что у нас на улице...

Моя улица самая красивая на свете.

Правда, некоторые говорят — она обыкновенная.

Но они, наверное, совсем не умеют удивляться. А если человек не умеет удивляться, ему всё кажется обыкновенным. А я, мой папа, моя мама, мои друзья — мы все каждый день чему-то удивляемся. И потому наша старая улица всякий раз нам кажется новой.

А вот вчера я проснулся, поглядел на мою улицу, и она показалась мне такой красивой, что мне тут же захотелось о ней рассказать.

Красивый адрес

А ты знаешь, что бывает на моей улице летом?

В какой-то светлый день она вдруг вся вся становится парикмахерской.

Да-да. Это приходят люди в комбинезонах и из больших флаконов всю неделю опрыскивают дома. Только не духами, а краской: жёлтой, голубой, розовой.

Конечно, это весело, но я всё-таки удивлялся. А почему, если у нас на улице всё, как в парикмахерской, краски у маляров без красивого запаха. Ничем они не пахнут: ни травой, ни лесом.

Я долго так удивлялся. Но недавно один человек в комбинезоне мне всё объяснил:

— Да малыш, — сказал он, — такую краску ещё не придумали, но скоро придумают.

И тут я подумал, как хорошо... Тогда мой жёлтый дом будет пахнуть ромашкой или васильками. И станет у нас на улице, как на лугу или в лесу.

И письма нам пошлют по новому красивому адресу:

«Улица тихих тополей, дом большой ромашки».

Светофор

Вот там, на углу, стоит светофор.

Для чего светофор нужен, ты, наверное, знаешь.

У него три глаза и каждый глаз командует.

Если светит красный — едут машины.

Зелёный — идут люди.

Когда же на тебя глядит жёлтый — надо стоять на месте.

Вот что такое светофор — трёхглазый фонарь-командир.

Однажды я видел, как шёл по улице милиционер и незаметно отдал светофору честь.

— Что с вами? — удивился я.

А милиционер даже обиделся:

— Такой большой, а не понимаешь. Ведь светофор день и ночь, в дождь и пургу всегда на посту.

Тогда я вновь посмотрел на высокую шапку гвардейца-светофора, на козырьки, облепленные снегом, вытянулся и тоже отдал ему торжественную честь.

Магазин

У нас на улице много магазинов.

А один большой-большой. У него такие огромные окна-витрины, точно в кино, но ещё лучше, интересней. Там, за мерцающим стеклом, живут большие игрушки. Как в сказке.

В той сказке плюшевый медведь вертит в лапах плюшевый бочонок. Учёный кот сидит на цепи у дуба. А белый попугай с алым хохолком тянет бесконечный серпантин из разноцветной коробки.

А ещё там есть загадочная железная дорога. И день, и ночь по ней спешит маленький паровозик. Пройдёт и встанет — станция значит.

А каждая станция не просто станция. И крохотная водокачка там есть, и перрон, и начальник в красной фуражке. А когда тот начальник в колокол ударит, паровозик скажет: «Ехать пора!»

Тут он приподнимет свой цилиндр и «ду-ду...»

И опять, опять едет куда-то мимо картонных лесов и стеклянных озёр, плюшевых холмов.

Я очень, очень люблю смотреть на тот паровоз, и многие взрослые тоже любят. Стоят кругом, точно маленькие, и улыбаются. Раньше я всё думал, почему они улыбаются. А теперь знаю: наверное, они, как и я, обязательно хотят поехать куда-нибудь.

Фонари

О многом я уже рассказал.

Но и об уличных столбах тоже надо рассказать. Их у меня на улице много: одни — провода держат, другие — фонари.

Но самый важный, самый главный столб тот, у которого часы.

Там, под часами, всегда люди, будто это маленькая площадь, маленький вокзальчик. Старушки там цветы продают, а другие люди с цветами ждут кого-то.

Ну а я, я просто учусь по тем большим часам узнавать время. Половина первого, половина второго...

А как-то взглянул на часы и уже хотел сказать: «3 часа», но вдруг заметил прильнувший к стеклу жёлтый листик и сказал так: «А времени — один жёлтый листик».

А папа улыбнулся и ответил: «Ну что, если времени — один жёлтый листик — значит, в город пришла осень».

Памятник

В конце нашей улицы стоит бронзовый памятник. Это памятник великому путешественнику.

В одной руке у него — трость, в другой — медная подзорная труба.

А ещё на нём старинная треугольная шляпа и широкий плащ с крыльями.

Когда я смотрю на него, мне кажется,

что моя улица становится длинной-длинной, точно дорога в далёкий край.

И всё-таки раз в году мне бывает жаль путешественника. Это в Новый год, когда играет музыка, люди спешат в гости, а он стоит один, занесённый снегом.

А однажды даже моему папе стало жаль бронзового путешественника.

Он влез на постамент и опустил в бронзовую руку серебряный кораблик.

— Вот, — сказал папа, — пусть ему тоже будет весело.

Потом мы ушли и всё думали, что сейчас бронзовый человек закроет глаза и вспомнит самое далёкое, когда он был мальчиком, когда мечтал о путешествиях, а в Новый год ему дарили игрушечные кораблики.

Доброе слово

А знаете ли вы, какое самое частое слово на моей улице?

«Добрый!»

Каждый раз при встрече люди обязательно говорят:

Доброе утро!
Добрый день!
Добрый вечер!

Конечно, и утро и вечер могут быть плохими, серыми, и всё равно люди улыбаются: «доброе утро», «добрый вечер».

Будто они колдуют.

Скажут так раз десять, и погода в самом деле переменится. Опять выглянет солнце, и опять на моей улице наступает праздник.

И всё это от одного доброго слова:
Доброе утро!
Добрый день!
Добрый вечер!

СКАЗКИ СТАРИННОГО ГОРОДА

Взрослые сказки

МАЛЕНЬКИЙ ВЕЛИКАНЧИК

Был красивый город на свете.

И в нём жили люди.

И, как все люди, они не замечали обычно красоты своего города.

Но однажды сюда пришёл великий человек. Он сказал: «Удивительно. Эти точёные здания я мог бы унести на ладони. Они лёгкие, как музыка».

И ещё человек что-то сказал, но сейчас никто не помнит этого.

А я думаю, он, наверное, рассказал сказку.

Вот такую:

«Жила на свете семья великанов.

Папа, мама и маленький великанчик.

Как все маленькие, великанчик любил играть. Но игрушки для него нужны были большие, великанские.

И потому папа со всего мира, со всей земли приносил ему на ладони:

Красивые дома с острыми крышами.

Красивые замки с круглыми башнями.

Храмы с весёлыми колоколами.

И весь день великанчик играл, играл с ними.

А потом он вырос.

И красивые замки и дома стали ему не нужны.

Он ушёл и забыл про них, но прекрасный город остался.

Теперь там уже живут люди. И как все обычные люди, они не замечают красоты своего города.

Но когда приходит и приезжает кто-то чужой, он всегда говорит:

— Какой игрушечный город. Его можно унести на ладони: он лёгкий, как музыка».

Вам уже нравится этот город, и вы просите рассказать дальше.

Ну что же. Я расскажу всю его историю.

А вернее, историю того, кто в нём жил.

Историю маленького великанчика.

Что он любил.

О чём думал.

И как стал большим.

История первая

Я даже не знаю, какую историю рассказывать первой. Самую страшную, самую грустную или самую весёлую? Ну, думаю, лучше всего сначала самую, самую простую.

Итак, история самая простая.

Однажды маленькому великанчику другой маленький великанчик сказал:

— Пойдём к голубому морю пить солёную воду.

— Солёную воду, — улыбнулся великанчик. — Наверное, это очень смешно?

И они пошли туда, где очень смешно.

Мой маленький великанчик хотел пить сразу. Но другой маленький великанчик сказал:

— Постой, постой! Разве ты не видишь на воде пенку? Надо её сначала сдуть.

Мой великанчик не знал, что такое пенка. Он просто нагнулся и стал дуть.

Дул, дул. Надоело.

— Смотри, — сказал он другому великанчику и показал на небо: — Там тоже есть пенка, надо её сдуть.

Теперь они оба подняли носы кверху и задули. Задули в четыре щеки. Так они дули весь день, и облака плыли туда, куда они дули.

На запад.

На юг.

На север.

На восток.

Конечно, устали. Но зато вечером... Вечером всем и каждому стало ясно, почему ветер и почему плывут облака. Это потому, что какие-то великанчики дуют где-то. Дуют и дуют в четыре щеки.

История вторая

Какую историю рассказывать второй, я тоже не знаю. Самую страшную или самую грустную?

Итак, самая...

Ого-го-го! А ты знаешь, каким огромным был маленький великанчик? Выше любой горы! Да, да! Но завидовать ему не надо. Ведь он был маленький, а все маленькие любят играть с животными: с телёнком, с котёнком, со щенком.

Огромный малыш тоже, конечно, хотел играть. Но как? Как? Все телята, все котята, все щенята казались ему просто муравьями. И потому он скучал, и скучал долгое-долгое время. И вдруг он встретил слона.

— Вот, — сказал великанчик, — этот малыш мне нравится.

Тут он взял слона на ручки и стал качать:

— Баю-бай, мой маленький, баю-бай, мой маленький.

А мудрый слон улыбнулся. Улыбнулся и сказал:

— Как всё-таки это хорошо — качаться на ручках!

Все знают, что слоны — большие и мудрые. Но ведь и мудрому и большому тоже надо когда-то отдохнуть на ручках. Поэтому слон и сказал:

— Спасибо тебе, великанчик. Я наконец отдохнул.

И с той поры все большие и мудрые слоны ходили к великанчику отдыхать на его детских ручках.

История третья

Третья история тоже тревожит меня. Смешная или грустная она — я не знаю. Видимо, очень простая.

Все маленькие мечтают быть кем-то. Маленький великанчик тоже мечтал. Вначале он мечтал быть пожарником, гасить над морем большой закат.

Потом он мечтал стать фокусником. Прятать в ушах дома́, дворцы.

И наконец он захотел стать доктором.

Это проще. Нужен только белый халат и трубочка.

Папа принёс ему самую большую трубу из оркестра. Великанчик взял её, посмотрел и стал слушать сердце.

— А ну, малыш, — сказал он первому льву, — дай-ка я вас послушаю. Прекрасно! Такая великолепная музыка.

И так говорил каждому:

— Ах, музыка вашего сердца!

А зверям это очень нравилось. Их сердца так хвалят! И потому все они шли к врачу-великанчику и просили:

— Скажи что-нибудь о нашем сердце, добрый доктор.

И доктор слушал и говорил, говорил. Но однажды он приложил трубку к груди тигра и сказал:

— А вы знаете, малыш, ваше сердце молчит. Наверное, оно умерло.

— Сам ты умер! — завопил тигр. — Я живой. Бегаю, прыгаю, рычу.

Тигр рассердился и ушёл, и больше никто, никто уже не ходил к великанчику. И сегодня, наверное, было бы то же, но пришёл мудрый слон. Слон пришёл к великанчику и сказал:

— Умерло не сердце. Умерла твоя труба, она устала и ничего уже не слышит.

— Умерла, — сказал великанчик.

— Да, — кивнул слон.

И они подняли трубу. Накрыли и понесли. И больше не играла музыка. И слышно было, как в небе плыли облака.

История четвёртая

Ну, конечно, после такой сказки я знаю, что рассказать, — весёлое.

Ха-ха! Хо-хо! Хи-хи! Хе-хе!

Да-да. О том самом, о том, как великанчик смеялся.

Ха-ха! Хо-хо! Хи-хи! Хе-хе!

И громкий же был тот смех! От него шпили слетали с башен. Трубы валились на землю, и крыши домов прыгали, как будто их без конца щипали.

Ха-ха! Хо-хо! Хи-хи! Хе-хе!

Конечно, всё это могло бы кончиться зем-ле-тря-се-ни-ем, но тут папа великанчика задумался.

Нельзя малышу запретить смеяться. Нельзя. Заплачет.

Но что же тогда делать?

Подумал ещё папа и прикатил огромную-преогромную бочку. Теперь, если малыш хотел смеяться, он лез туда. Катался по земле и хохотал, грохотал, сколько хотел. Та великанская бочка и доныне жива в игрушечном городе: теперь из неё пьют квас.

И это самый весёлый квас на свете. Стоит взрослому выпить его, как он начинает смеяться. А люди говорят: смотрите, как человек радостно хохочет. Ну точно глупый маленький великанчик.

История пятая

А теперь что рассказать. Вот, право, не знаю. Разве что посмеяться дальше.

Ну, что же, ха-ха, хо-хо, хи-хи, хе-хе! Итак, слушай.

Как-то у великанчика заболели зубы. Лечил он их, лечил — ничего не помогает. Ни грелка, ни зубные капли, ни соль, ни горчица.

И хотя очень не хотел этого великанчик, но пришлось ему всё-таки идти к врачу.

— А-а, — сказал врач, — рот раскройте. Так, у вас в зубе дырочка.

— Дырочка? — удивился великанчик. — Ну и что? Почему же она болит? Ведь в вашей печке тоже есть дырочка. Но она никогда не жалуется.

— А-а, — сказал врач, — но в вашей дырочке что-то есть.

И врач-великан взял щипцы. И вытащил, да вытащил оттуда... бегемота!

— Ох! — вздохнул великанчик-малыш. — Как же ты сюда попал?

— Ох! — вздохнул бегемот. — Простите, нечаянно. Ночью я заблудился, вижу пещера. И вот...

Великанчик расхохотался.

— Значит, я просто спал с открытым ртом.

— Да, да, — кивнул бегемот, — вы же маленький.

И тогда, чтобы подобного больше не было, великанчик решился. Он выдернул зуб и подарил его бегемоту.

— Вот тебе домик, — сказал он.

Ну, а с открытым ртом поступили так. Каждую ночь родители вешали на него объявление: «Сюда вход строго воспрещён».

И все звери были уже осторожны.

— Это не пещера, — говорили они. — Здесь спит маленький глупый великанчик.

История шестая

Ну, а теперь что рассказать? Или опять посмеяться?

Помнишь сказку о том, как один горшок варил кашу. Каша заполнила дом и выползла на дорогу. Такие волшебные горшки были в старину в самом деле.

Зачем? Для чего? А вот...

Например, однажды мой великанчик воевал с другим великанчиком и долго не мог взять его город.

Вот тогда он и призвал волшебника.

— Мы, великанское величество, — сказал он, — сегодня не можем взять город. Сделай немедленно волшебный горшок.

Волшебник поклонился и тут же вылепил волшебную посуду.

А наутро во вражеский город отправились послы — папа с мамой.

— Наш сын дарит вам свою кашу.

Конечно, это вызвало великую радость у другого великанчика, и другой великанчик надел слюнявчик и сел за стол.

И, конечно, каша из горшка скоро выползла наружу и заполнила весь стол, весь дворец, весь город. Она даже залезла на самую высокую башню.

И тогда над городом взвился манный флаг.

— Ура, ура! — закричал великанчик. — Победа! Да здравствует горшок с манной кашей!

И тут волшебный горшок прекращал варить. А великанчики садились обедать.

Вот какие трудные войны, малыш, были когда-то.

Чтобы стать настоящим воином, надо было съесть целый город манной каши.

История седьмая

Какая она? Опять не знаю.

Трах-тарарах. Слышите? Какой гром, правда? А это и не гром — просто маленький великанчик играет в свою погремушку.

Трах-тарарах. Всё своё маленькое детство он играл в неё. А потом, когда стал больше, решил детство забыть и забросил ту погремушку куда-то на Луну.

Теперь великанская погремушка молчит, но иногда вспоминает о великанчике, и тогда: «Трах-тарарах!»

Страшный гром сотрясает небо.

Ты боишься его? Не бойся. Не надо. Гром не страшная, а просто грустная вещь. Ведь это тоскует чья-то большая погремушка. А взять её некому. Все великаны выросли, а нам её не достать.

А это, конечно,
история предпоследняя

История о кораблях.

Маленький великанчик делал бумажные корабли: белые шхуны, чёрные фрегаты, голубые бригантины.

Каждое утро он осторожно опускал их на море и, подув в парус, махал рукой. И бумажные кораблики плыли. Плыли через море, через океан.

И где-то в море их обычно встречали люди, потерпевшие кораблекрушение.

— О, — говорили они, — смотрите! Никак корабль, и совсем пустой.

И тут люди садились на бумажный кораблик и возвращались домой.

Ну, а дома они всю жизнь потом только и рассказывали об этом чуде.

И в самом деле, для моряков и поныне нет большего чуда, как переплыть океан в большом бумажном кораблике.

Но с той поры, как великанчик стал большим, это уже никому не удавалось.

История последняя

Много я рассказываю о великанчике. И ты, наверное, устал. Ведь ты маленький.

А я говорю тебе о таких больших вещах. Ну что же, я кончаю. Кончаю тем, с чего начал. Игрушечным городом.

А ты знаешь, что есть ещё в нашем городе, кроме красивых домов и зданий?.. Нет? Тогда слушай.

Когда-то маленький великанчик очень любил делать вертушки. Эти вертушки стояли на каждом холме. А потом, когда на холмы пришли люди, они сказали:

— Да это же замечательные вещи — ветряные мельницы. Они будут нам молоть зерно, качать воду.

И долгие годы вертушки великанчика мололи зерно, качали воду. А потом люди сделали другие мельницы: паровые, электрические.

Ветряные мельницы хотели уже убрать. Но самые умные подумали и оставили. Конечно, теперь это уже не мельницы, а опять просто игрушки. Вертушки.

И до сих пор вертушки великана машут в нашем городе.

А когда дети спрашивают взрослых, зачем они, что делают, взрослые, улыбаясь, говорят:

— Отгоняют дурные сны от города.

Малыш, если ты хочешь хорошо выспаться, приходи в город великанчика!

БАШМАК ВЕЛИКАНЧИКА

Это сказка не о великане, а о маленьком великанчике. Конечно, ростом он был с десятиэтажный дом, но...

Но как все маленькие, он тоже любил маленькие игры.

Весь день он дудел на дудочке.

Весь день играл в золотой песок.

Весь день прыгал по весёлым лужам и пускал пузыри.

А ещё маленький великанчик всё забывал. Его ставили в угол, но он всё равно забывал.

И вот однажды где-то у реки малыш забыл свой башмак. Свой любимый башмак с золотыми пряжками.

Ах, как потом великанчик скучал по башмаку! Даже не играл в песок, не бегал по лужам. А всё говорил: «Как грустно ему одному, моему башмаку!» Так он говорил до вечера.

А вечером малыш пришёл к реке и вдруг увидел свой великанский башмак. Кто-то умный поставил на него золотую трубу. И довольный башмак стал счастливым пароходом.

С той поры он катал всех детей и взрослых.

Вот что бывает в весёлых сказках. И потерянный башмак тоже счастье, малыш.

СКАЗКИ СТАРИННОГО ГОРОДА

Однажды ко мне пришло странное письмо.

«Сударь мой, — было написано в письме, — я жду вас. Вы вчера оставили у нас шляпу со страусовыми перьями».

Я очень удивился. Да у меня и нет такой шляпы!

Значит, надо мной шутят. Но кто же?

Я пошёл на почту. Но там ответили:

— Нет, письмо настоящее. Оно только опоздало на... на 300 лет.

Значит, его должен был получить мой пра-пра-пра-прадедушка.

И тут я отправился по обратному адресу. И что же? Я и правда нашёл там страусовую шляпу, а главное — услышал много старинных историй. Хозяин дома хранил их вместе со шляпой. И они долго, долго ждали меня.

А теперь я расскажу их всем, и, конечно, история первая будет про шляпу.

Да, кстати, эти сказки написаны страусовым пером.

Да здравствует — кто? Да здравствует — что? Просто старинная шляпа.

Вы спросите: почему?

А в старину уж так говорили. Не важен камзол, не важны сапоги, но шляпа, это, конечно, — главное. И она всегда должна напоминать клумбу.

Ведь недаром старинным людям было приятно носить на макушке сад. И каждый хвалился:

— А мой сад, сударь, лучше. Он из страусовых перьев.

Впрочем, кроме шутки, и польза в том была немалая. В старину ведь не было дворников. И улицы подметали так: кланялись — и шляпные перья сдували пыль. И лишь один человек в шляпе не кланялся — король. Да. А шляпа у короля закрывала весь город. Как зонт. И когда долго, долго шёл дождь, придворные всегда просили:

— Не пора ли вам погулять, ваше величество.

И в длинный солнечный день было то же.

Короля просили гулять, и тем он спасал своих подданных от жары. А ещё он их спасал от скуки. Потому что на полях королевской шляпы играл оркестр, и казалось, что с неба льётся музыка. И в городе все танцевали, все веселились.

Но теперь, ты, конечно, скажешь, как же король мог носить такую великолепную тяжесть? Очень просто. Её поддерживал целый полк гвардейцев. Мушкетами.

И все дни рождения в нашем городе, и все праздники справлялись только на голубых полях королевской шляпы. Вот какие шляпы были в старину!

Кому в детстве не хочется быть сказочным принцем?

Но если не принцем, то в крайнем случае... дрессировщиком в цирке.

Да. Да. Ведь в наше время это почти одно и то же. Только у дрессировщиков ещё остались зеркальные сапоги и красный королевский плащ, который волочится по полу, точно городской закат над детским парком. Об этом плаще, о тех знаменитых сапогах когда-то мечтали все мальчишки нашего города. А больше всех один. Каждую ночь он видел одно и то же — огни цирка.

А днём, днём он только и говорил:

— Цирк, цирк!

Но родители лишь смеялись над малышом:

— Дрессировщик! Ты не можешь им быть. Дрессировщик должен быть строгим, а ты слишком добр.

Да, конечно, он был добрым мальчиком, и однажды он попытался приручить птичку. Птичка прожила у него до осени, а осенью сказала:

— Спасибо, мальчик, но мне пора лететь.

И маленький дрессировщик отпустил её.

Ну и шутили же над ним после:

— Тоже мне укротитель! Не ты, а тебя приручают звери. Грустный ты очень дрессировщик.

С той поры его так и звали: очень грустный дрессировщик. А очень грустный дрессировщик скучал.

«Неужели, — думал он, — мне так никогда и не увидеть арены, никогда не надеть зеркальных сапог?»

«Никогда» — какое трудное слово. И как трудно произносить его в детстве. Но едва мальчик его произнёс, как к нему в окошко кто-то стукнул.

— Здравствуйте, это я — ваша дрессированная птичка. Я вернулась к вам, чтобы помочь. Вот зёрнышко, посадите его, и ваши мечты...

— Неужели, — не поверил мальчик, — мои мечты исполнятся?

— Да.

И он посадил зёрнышко.

Росло птичье зёрнышко, росло и выросло. И стало самым высоким, самым толстым деревом в городе. Толпами приходили люди, чтобы посмотреть на удивительное толстое дерево.

А как-то раз в сад пришёл учёный. Он сказал:

— Вы молодец, мальчик, вырастили настоящий африканский баобаб. Поздравляю, вы удивительный садовник.

Удивительный садовник, только и всего?! Мальчик даже обиделся. А красный плащ, а зеркальные сапоги? Неужто птичка меня обманула, и я никогда...

Но только он хотел вновь произнести это трудное слово, как в калитку сада стукнули:

— Можно?

Косматый африканский лев стоял перед мальчиком.

— Здравствуйте, — смущаясь, сказал он. — Я слышал, вы вырастили баобаб.

Баобаб — дерево моей родины. Мне очень приятно посидеть под ним и вспомнить родственников. Разрешите?

— Разрешите?

— Разрешите?

В тот день весь цирк, весь зоопарк побывал у мальчика. И каждый зверь сидел под деревом и вспоминал своих родственников...

И, конечно, на другой день мальчик уже выступал в цирке. А вскоре он прославился и стал одним из самых знаменитых цирковых артистов. Да, да.

А от прежнего осталось лишь одно: его по-старому и люди и звери продолжали звать очень грустным дрессировщиком. И всё потому, что если кто-то его в цирке не слушался, он никогда не ругался, а лишь грустно говорил:

— Ну, что ж, я не покажу тебе сегодня твой баобаб.

И тут все звери плакали и просили у него прощения. А ведь это и правда очень грустно — не видеть свой баобаб. Бао-бао-бао-баб.

Хорошо или плохо, если король обжора? Ты скажешь: «Конечно, плохо».

184

Вообще и я тоже так думаю, но иногда...

В одном старинном городе, где королём был обжора, существовала какая-то страшная вещь — дуэль.

Дуэль — это значит, люди колют друг друга шпагами.

— Нельзя! — закричишь ты. — Человек не жареная утка!

Правильно. И этот король тоже кричал: «Нельзя, нельзя, нельзя!»

Но это мало помогало. И тогда он просто раскрыл рот.

И просто проглотил все шпаги.

Как ты понял, в этом случае помог не королевский ум — королевское обжорство. Но вот что удивительно.

После этого обжорства дуэли стали прекрасны.

Лишённые шпаг дуэлянты стали просто дуть друг на друга. И дули до тех пор, пока один не улетал куда-то.

Ну, а это, я думаю, самый лучший способ путешествия.

Итак, да здравствует королевское обжорство!

В некоторых случаях это помогает. А именно тогда, когда хочется не драться, конечно, а путешествовать.

Испокон века живут на земле сапожники. В моём старинном городе тоже был один, только не простой, а потомственный. Это значит, что и дед, и прадед, и прапрадед его — все они шили башмаки и туфли.

Туфли... Целый ряд их, старинных, с бантами и вензелями, стоял у того сапожника за стеклом. Любопытные зеваки нередко заходили сюда, чтобы взглянуть и... ахнуть:

— Ах, какие туфельки, ах, какие...

Но мастер только ворчал:

— Неужели вам и сказать больше нечего?

— Нечего, — смущались люди. — Мы всё давно забыли.

И тогда мой лукавый сапожник брал туфельки и ласково говорил:

— Бальные туфельки — они подобны раковинам. Всегда поют. Вот туфелька из Варшавы. Вы слышите? Старая музыка. Это мазурка. Ну, а эта туфелька — она из Вены. Вы слышите? Менуэт.

Мазурка, менуэт, вальс — каждая старинная туфелька пела, и у каждой был свой голос.

И лишь одна молчала. Без вензелей и бантов, молча пряталась она в углу.

— Наверное, — говорили не раз посетители, — то туфелька самой бедной женщины.

Но мастер только ласково ворчал:

— Неужели вам и сказать больше нечего?

— Нечего, — вновь смущались люди.

А сапожник вновь ласково говорил:

— В старинное время жила в нашем городе одна старинная принцесса. Языкам, реверансам учили её и... конечно, танцам. Лучшие учителя занимались этим, но, увы, принцесса не понимала музыки.

И тогда по всему королевству расклеили строгий указ:

«ДАРУЕМ ТОМУ, КТО НАУЧИТ НАШУ ПРИНЦЕССУ ТАНЦЕВАТЬ ЛЕГКО И ВОЗДУШНО, ДАРУЕМ ТОМУ ЕЁ РУКУ И СЕРДЦЕ».

Получить руку принцессы — это значит самому стать принцем.

Блестящие графы, чопорные князья, солидные бароны — кто только не пробовал обучить королевскую дочь танцам! И однако все придворные дамы превосходили её в этом великом искусстве.

Совсем отчаялась принцесса.

И вдруг во дворце появился сапожник.

— Ваше прелестное величество, — сказал он ласково, — я знаю про вашу печаль. И знаю — нет ничего проще избавиться от неё. Разрешите лишь смерить вашу королевскую ножку.

Тут же бархатной лентой королевская нога была измерена, и на другой день сапожник сшил прелестные туфельки.

— Да, они прелестны, — вздохнул мастер, взглянув на них. — Однако им не хватает бантов. Тех самых бантов, что придают туфелькам лёгкость, учат их порхать и летать. А принцессе это так нужно!

И тогда сапожник придумал. Он пошёл на луг и поклонился двум большим бабочкам.

— Вам всё равно, — сказал он, — где кружиться. Но если вы сейчас станете бантами знатных туфель, завтра вы закружитесь в королевском зале. И вам, милые бабочки, будут играть королевский котильон.

Конечно, милые бабочки не посмели отказаться.

И вскоре принцесса уже танцевала. Туфельки с крылышками несли её по залу, кружили.

А все гости поздравляли короля и королеву.

— Как воздушно танцует ваша дочь!

— Она сегодня — словно белая бабочка.

Но у белых бабочек бывает доброе сердце.

А у принцессы, увы, оно было иным.

И когда после танца к ней подошёл в поклоне сапожник, она произнесла лишь:

— А вы мне больше не нужны, фи!

И ненужный сапожник ушёл, но вслед за ним улетели и бабочки — белые банты с королевских туфелек. И никогда больше принцесса уже не танцевала так легко. Тот воздушный котильон был последним в её жизни.

Вот я говорю тебе о королях, гвардейцах, принцах, князьях, графах. А что от них осталось. Фу. Ничего. Впрочем от одного графа... Да, от него кое-что осталось.

А был этот граф страшно завистливый. Всем-всем завидовал. А главное, всегда хотел быть выше всех, чтобы среди придворных его обязательно заметил король. Вот и вытягивал граф без конца шею. Шея у него была длинной-длинной, как у жирафа. А ещё граф любил поесть.

И поэтому живот у него был толстый-толстый, как у бегемота. Ты представляешь себе такое?

И вот однажды один стекольный мастер решил посмеяться. Он сделал бутыль, похожую на графа. И был у той бутыли огромный живот и длинная шея.

Конечно, тут же все поняли, на кого та бутыль похожа. И в честь графа так и назвали её — графин.

Графины живы поныне. Ну, а графы? Зачем они?

Так и говорят теперь люди:

— Если есть графин, совсем не надо графа. И так очень весело.

Ведь до сих пор никак не могут решить, что же это: бегемот с жирафьей шеей или жираф с бегемотьим животом?

А ты знаешь, как лечились в старину? Камушками! Да, камни толкли в порошок и клали в чай, в суп.

А жить тогда в каменном доме было просто опасно. Если, например, в городе случалась какая-нибудь болезнь, то ваш домик могли разнести по кирпичику. И по кирпичику — это ещё хорошо.

А то бывало и так: мог прийти большой великан и просто проглотить ваш каменный домик, чтобы вылечиться. Да. Ведь так и случилось однажды.

Спустился с гор великан, разинул рот и проглотил королевский замок. И не только замок, а вместе с замком и самого короля.

Ужас, конечно. И сам великан ужаснулся, когда узнал об этом. Он плакал, и, словно большие бочонки, катились по мостовой слёзы.

— Трах-тарарах! Что я наделал? Как же вы будете жить без вашего короля? Трах-тарарах!

— И не знаем, не знаем, — отвечали придворные, — король всё-таки нужен. Кому же кланяться тогда?

И тут великан хлопнул себя по затылку.

— Придумал, — сказал он. — Я дам вам короля.

И умный великан сделал короля из глины. Нет, вы не думайте, этот король был не хуже настоящего — он был в короне и в сапогах. И даже в мантии. А главное, он сидел на троне и редко во что вмешивался.

Единственное, о чём он беспокоился, это о песочке для детей. А главное — о зонтиках. Ведь этот король боялся размокнуть.

Но как-то раз глиняный король промочил-таки затылок, и у него в голове появилась дырочка.

Ужас! С той поры в голове у короля стал гулять ветер. И он выдул из неё все-все серьёзные мысли. Теперь его величество только и делало, что улыбалось:

— Хи-хи, хи-хи!

Придворные сердились. И не выдержав, наконец сказали:

— Лучше жить совсем без короля, чем с таким клоуном.

— Ну, хорошо, — сказал глиняный король. — Ваши скучные лица мне тоже надоели. До свидания.

И он раскланялся и пошёл к мудрецу.

— Я был королём, — сказал он мудрецу. — Но мне стало скучно. Кем мне быть теперь?

Мудрец взглянул на короля, увидел в его голове дырочку и спросил:

— А вы любите детей?

— Да.

— Тогда вам лучше всего быть детской копилкой. Копить весёлые денежки на весёлые игрушки.

С той поры так и было. Конечно, король по-прежнему оставался королём. Но он уже был не просто король, а король детских копилок.

Ты, наверное, обиделся, что моя сказка кончилась восхвалением короля? Ну что же. Ведь это не просто король, а наш детский король. А это очень хорошо, что детские короли вечны.

Теперь ты догадался, о чём моя сказка? О вечности.

Не вечно люди едят камни, города воюют. Но вечно будут детские копилки и детские короли.

Они добрые. И очень нужны.

А однажды я влюбился в старинного человека, который сказал так:

— Ветер вернулся, чтобы погасить последнюю свечу.

Хорошее слово — «вернулся». Например, солнышко не взошло, а вернулось.

Вернулось к тебе, значит, оно доброе. И звёзды тоже добрые. Всякий раз они возвращаются на небо.

Нет, это не сказка.

Просто я хочу, чтобы ты любил людей и думал о них. Когда думаешь о человеке, он как бы вновь возвращается к тебе.

Входит в твою комнату, садится за стол, говорит с тобой.

Так вернулись ко мне эти старинные люди.

Так думай же всегда хоть немного о людях. И пусть всегда твои друзья и твои знакомые будут с тобой.

СКАЗКИ
О МУЗЫКЕ
И МУЗЫКАНТАХ

ТАЙНА ЗАПЕЧНОГО СВЕРЧКА

Небольшое вступление

Как-то совсем недавно я был в концерте. Исполняли Моцарта.

Я слушал музыку и вдруг представил себе старый Зальцбург — родину композитора...

...Полночь. По тихим узким улочкам бредёт ночная стража. Звон её бутафорского оружия пугает запоздалых гуляк. Всплеснув руками, они, точно мотыльки, тычутся носами в освещённые окна. В тёмных садах пахнет ночными фиалками...

Долго не покидала моего воображения эта старинная картина. Временами даже казалось, что я слышу тот фиалковый запах.

Музыка... Наверно, когда-то, выпорхнув из стрельчатых окон, она заблудилась в вечернем саду, да так и осталась там. А теперь, спустя столетия, пришла ко мне, возвратив память о том, что давно ушло, отцвело.

А может быть, не ушло, не отцвело?! Может, по-прежнему живёт тот старый Зальцбург, и в нём — маленький мальчик, по имени Вольфганг Амадей Моцарт? Кто знает...

Я слушаю ту старинную музыку, и, как наяву, предстаёт перед моими глазами и маленький старый домик, и сам маэстрино — весёлый мальчик с тоненькой шейкой, в серебряном паричке, похожий на вербную веточку. Прекрасное видение!..

Я расскажу тебе, мой читатель, о жизни маленького Моцарта.

И если кто-нибудь скажет, что в моих рассказах больше выдумки, чем правды, я отвечу: «Что ж, а музыка Моцарта, разве она не сказочное чудо?!»

О Зальцбурге и некоторых обстоятельствах рождения нашего героя

В те дни Зальцбург был столицей маленького церковного княжества. На карте тогдашней Европы оно выглядело крохотным, не более ноготка. Но ведь его измеряли лишь в ширину и длину. А стоило поднять свой взор выше — и вы немало удивились бы...

Здесь, в Зальцбурге, начинали своё шествие величественные Альпы — одни из самых красивых гор Европы. Каждое утро солнце, точно сиятельный маршал, обходило их стройные ряды и поправляло золотой рукой их белоснежные шапки. А кроме того, у солнца имелось ещё много других дел: заглянуть в каждую улицу, каждый сад, дом и главное — вовремя улыбнуться здешнему владельцу — архиепископу, дабы в княжестве всё шло тихо и спокойно...

Кто никогда не видел архиепископов, может спросить: «А какие они?» Так вот, если на серебряный самовар поставить ромовую бабу и накрыть шёлковой шалью с кистями, — это будет очень похоже. И вся разница лишь в том, что зальцбургский «самовар» умел высокопарно говорить, читать молитвы и тянуть нараспев: «Амен, амен, амен!..» Тем и вызывал он у жителей некоторую почтительность. Ведь тогда любой зальцбуржец обязан был ходить в церковь. А церкви тут громоздились на каждом шагу!

И всё-таки не церквами, не архиепископом, даже не высоким небом славился старинный городок. В самой Австрии о нём говорили так: «Да разве это город? Это настоящая музыкальная шкатулка!»

И в самом деле, как ни сказочно это, но в славном Зальцбурге каждый второй житель плясал, каждый третий — пел и каждый четвёртый — обязательно играл на музыкальном инструменте.

А как пели, играли и плясали зальцбуржцы! Даже строгие церковные кресты и те, казалось, начинали приплясывать, стараясь закружить в весёлом танце пролетающие мимо лёгкие облака!

Вот в один из таких танцующих дней и родился Вольфганг Амадей Моцарт.

Судьба, лениво листающая страницы зальцбургской жизни, вдруг остановилась и, сказав «ах!», нежно коснулась рукой колыбели новорождённого: «Знаменитый музыкальный городок будет иметь своего знаменитого композитора!»

Правда, в тот день никто из зальцбуржцев и не подозревал об этом. По-прежнему они пели, плясали, играли, и лишь отец новорождённого, скрипач Леопольд Моцарт, счастливо вздохнув, задумался: «А кем будет мой мальчик? Станет ли он переплётчиком, как все Моцарты, иль, подобно мне, отдаст своё сердце музыке?! Кто знает?..»

И пока всё здесь пребывает в счастливой неизвестности, мы перейдём к следующей главе.

* * *

Ну, конечно, маленький Моцарт стал музыкантом! Мы даже знаем сейчас тот счастливый день и час, когда это произошло.

Среди многих записей старшего Моцарта есть такие волшебные строчки: «Этот менуэт и трио Вольфганггерль выучил 26 января 1761 года в половине десятого вечера в возрасте четырёх лет за день до своего рождения». Так возблагодарим же тот праздничный день и, поклонившись ему, попросим:

— Достопочтеннейший сударь День, а не расскажете ли вы нам более подробно эту историю? Отчего маленький Моцарт стал так рано музицировать? Может быть, здесь есть какая-то сказочная тайна?..

О сказочной тайне маленького Моцарта

В тот вечерний час в доме Моцартов было тихо. Закутавшись в папин сюртук, Вольфганг дремал в кресле.

И вдруг! Что бы это могло быть?! Такой долгий и странный звук...

«Наверно, это хрупкий луч луны замёрз и сломался, стукнув в окно...» — подумал Вольфганг.

Малыш встал, чтобы посмотреть, и тут... Да это же сам запечный Сверчок со своей волшебной скрипочкой!

Закинув на плечо полу бархатного плаща, Сверчок отвесил мальчику низкий поклон:

— Добрый вечер, маленький сударь!

— Добрый вечер, — удивился Моцарт.

Запечный Сверчок поднял свою волшебную скрипочку, вскинул смычок... и заиграл...

Он играл так прекрасно, что, не выдержав, мальчик воскликнул:

— Какая прелесть! Никто в Зальцбурге не играет так хорошо! Вот если бы мне стать таким музыкантом!

— А что же вам мешает, маленький сударь? — спросил Сверчок. — По-моему, у вас есть и слух, и сердце.

— Но я ещё маленький! — рассердившись, сказал Моцарт и с досадой топнул ножкой.

Тогда Сверчок тоже топнул ножкой.

— Стыдитесь, я же меньше вас! Мне

202

всего годик, а вам — четыре! И уж давно пора стать настоящим маэстрино!

— Вы правы, — смутился Моцарт. — Но ноты. Ах, эти ноты! Я всегда их забываю!

И здесь говорящий Сверчок улыбнулся и сказал:

— Затем-то я и пришёл! Сейчас я сыграю одну волшебную мелодию. Запомните её, и тогда вы будете помнить и все остальные! Слушайте!..

И Сверчок заиграл! Никогда раньше не приходилось Вольфгангу слышать музыку, подобную этой!

Умолк последний звук.

— Прощайте, маэстрино. Надеюсь, со временем, когда вы станете знаменитым музыкантом, вы вспомните обо мне! — сказал Сверчок и, откланявшись, удалился...

Как известно, взрослый Моцарт потом не раз вспоминал с благодарностью своего Сверчка. Однако почтенные современники его решили не писать об этом. Да ведь и в самом деле, кто, кроме детей и чудаков, поверит в маленького запечного музыканта и его волшебную скрипку?!

Однажды в году, как раз в тот день и час, о котором писал Леопольд Моцарт, вспоминая первый менуэт, разученный сы-

203

ном, в Австрии вновь звучит удивительная музыка. Это в честь маленького Моцарта играют зальцбургские сверчки, и, слушая их, танцует за окном вечерний снег...

О танцующем снеге, о Вене
и серебряной шпаге принца

Танцующий снег... Теперь он был не в маленьком Зальцбурге, а в большой прекрасной Вене, столице Австрии.

Ослепительно блистали старинные венские фонари, и в праздничном ореоле их блеска весело кружились робкие снежинки.

Впрочем, так было в конце путешествия. А в начале?

В самом начале Моцарты очень волновались. Правда, многие зальцбуржцы уже восторгались игрой мальчика. И всё-таки здесь, в Вене, всё внушало опасения. Было столько всяких «НО».

Но что скажет император?

Но что скажет императрица?

Но что скажут придворные?

И, главное, как отнесутся к Вольфгангу столичные музыканты?..

Однако все сомнения оказались напрасными! Маленький музыкант сразу покорил венскую публику! Вольфганг играл бесподобно. И, наверное, поэтому, когда кончилась музыка, так долго длилось молчание: эхо звуков умирало в каждом сердце, и каждый, прислушиваясь к себе, ловил их последнее дыхание...

Но вот зал ожил, затрепетал, словно огромная бабочка! Взлетели вверх кружевные манжеты! Все говорили, вздыхали и повторяли без конца: «Прелестно! Прелестно!»

Так было вечером...

А утром... Утром произошло ещё одно удивительное событие!

Едва маленький Моцарт проснулся, едва открыл глаза, как вдруг распахнулась дверь и на пороге появился чопорный императорский лакей.

Осыпав комнату блеском позументов, он склонился в торжественном поклоне:

— За вашу прелестную музыку Её Императорское Величество жалует вам шпагу и платье принца!

Ах, какое прекрасное пробуждение! Словно кружатся, сверкают бесчисленные зеркала, и в каждом — лиловый камзол, и в каждом — серебряная шпага!

Нет, маленький Моцарт не может, не смеет этому поверить!

Но старший Моцарт рассеивает все сомнения. Роняя слова сквозь счастливые слёзы, он говорит:

— Это всё правда, правда, Вольфганг! Исполнилась мечта наша! Сегодня ты уже не какой-то неизвестный музыкант! Отныне ты — маленький принц австрийской музыки! Поздравляю тебя, мой мальчик!

Ну, вот и всё...

В день отъезда Моцарта, будто празднуя его блистательный успех, ярко сияли старинные уличные фонари, а вокруг кружился и кружился пушистый радостный снег! Смеясь, Вольфганг ловил его шпагой. Снежинки падали и застывали на ней нежными прозрачными цветами...

...Однажды такой белый цветок я нашёл в одной старой-старой книге. Там рассказывалось о маленьком музыканте, о старинных фонарях, танцующем снеге, лиловом платье принца и о серебряной шпаге...

И теперь, мой читатель, я поведал об этом тебе...

О пропавшей музыке и об ордене «Золотая шпора»

Известен ли тебе, мой читатель, знаменитый случай с римским папой и маленьким Моцартом?

206

Восторженные итальянцы до сих пор не перестают щёлкать языком и удивляться:

— Нет, вы только подумайте! Гордый первосвященник склонился перед талантом мальчика?!

...Римский папа не признавал никого и ничего, кроме Бога, себя и музыки. Да-да, музыки! Папа знал, как велика власть музыки над сердцами людей, и поэтому собирал и покупал самую прекрасную музыку.

Раз или два в год эта прекрасная музыка торжественно звучала в папской церкви. И тогда, точно весенние ласточки, взлетали вверх голоса хора, а холодный храм будто теплел и наполнялся ласковым светом!

А потом праздник кончался, всё меркло. Драгоценные ноты прятали в бархатную темницу — золочёную папскую шкатулку. Там она и хранилась до следующего праздника среди запахов засохшей вербены и сладкого ладана.

День и ночь два дюжих гвардейца стояли на страже, оберегая прекрасную музыку.

И если кто-нибудь случайно подходил к шкатулке близко, грозным предостережением стучали о каменный пол гвардейские алебарды: «Стоп! Стоп! Стоп!»...

И по сей день в Италии всё оставалось бы по-прежнему, но один поистине волшебный случай нарушил заведённый папой порядок. И было это так.

Как раз в то время в Италии выступал маленький Моцарт.

Однажды, гуляя по вечернему Риму, он забрёл в папскую церковь. Был праздник. Торжественная музыка сотрясала церковные своды, пел хор, верующие молились. Никто не заметил прихода юного Моцарта. А он пришёл, послушал музыку и ушёл, так никем и не замеченный.

На другой день в папском дворце начался неслыханный переполох. Все бегали, суетились, стукались лбами и ахали: «Музыка! Пропала музыка! Прекрасную музыку похитили!»...

Виновником переполоха был маленький Моцарт. Однако он и пальцем не тронул шкатулку с драгоценными нотами! Будучи в церкви, он просто запомнил эту музыку — всю, от начала до конца!

Теперь её распевал весь Рим!

Ах, как негодовал римский папа! Он даже велел арестовать уши Моцарта, дабы впредь они не смели слышать то, что им не положено!

Две холодные алебарды коснулись

ушей мальчика! Две холодные алебарды теперь сопровождали его всегда и везде.

А римляне? Сначала они удивились. А потом, расхохотались! «Арестованные уши!» — смеялся весь Рим, вся Италия!

В испуге зазвенели колокола папской церкви. И тогда папа насупил брови и задумался... Он думал день, думал два, а на третий решил: «Лучше быть добрым, чем смешным». И маленького Моцарта не только простили, но и наградили орденом «Золотой шпоры», которым награждали только самых знаменитых и самых старых композиторов! А Моцарту едва минуло... двенадцать лет!

Радость Моцарта была огромной. Но гораздо больше его радовала благодарность людей. Он подарил им то, что они любили...

О поездке Моцарта
в прекрасный Париж

Париж!.. Наверно, это самый удивительный, самый сказочный город на свете! Возьмите хотя бы названия парижских улиц!

Улица СТАРОЙ ГОЛУБЯТНИ... Улица КОШКИ, ИГРАЮЩЕЙ В МЯЧ!

Парижане уверяют, что на этой самой улице родился знаменитый Кот в сапогах!

Он и теперь приходит ночью на эту узкую улочку, чтобы поиграть в золотой мячик. А люди открывают окна и ждут... Куда влетит мячик, к тому придёт счастье! Ну не сказочно ли это?!

А вот что писали в своих письмах иностранцы, которым посчастливилось побывать в Париже в те времена: «Сам воздух Парижа веселит нас!»

Более того! Говорят, что каждый отъезжающий увозил с собой в изящной вазе или кувшине парижский... воздух! И когда ему становилось грустно, он открывал сосуд и, вдохнув волшебный воздух старого города, начинал беспечно смеяться!

Как известно, парижане очень любят шутить. Когда Моцарт приехал в Париж, они его тоже восприняли как очаровательную шутку музыки. «Такой младенец и талантливее многих старых! Ну разве это не забавно?!» — смеялись парижане.

И, желая угодить добрым французам, Моцарт писал им сонаты, менуэты и, надев серебряный паричок, играл и играл свои бесконечные концерты, и вскоре о нём заговорил весь Париж.

А когда наступил Новый год и на колокольнях повисли серебряные нити, а в королевском дворце зажглись золотые свечи, Его Величество король Франции пригласил мальчика на новогодний ужин.

В тот праздничный вечер Вольфганг Амадей Моцарт присутствовал во дворце как паж короля. И король Франции спрашивал своего юного пажа:

— Скажите, мой друг, что вы думаете о музыке?

И маленький Моцарт с поклоном отвечал:

— Музыка, Ваше Величество, это голос нашего сердца!

Король улыбался и милостиво кивал. А следом за королём улыбались и кивали все придворные.

Под утро, когда Моцарт выходил из дворца, поклоны сопровождали его до самой улицы. Но и на улице люди снимали шляпы и, с восхищением глядя на маленького музыканта, шептали:

— Смотрите, смотрите! Это Вольфганг Моцарт — паж Его Величества!..

Новогодняя ночь была поистине сказочной! Вольфганг шёл и от счастья тихо напевал. Но вдруг незатейливая мелодия внезапно оборвалась, Моцарт остановился! На набережной Сены, возле моста, стоял нищий мальчуган и, кутаясь в лохмотья, протягивал к нему посиневшую от холода руку.

Вольфганг стал торопливо шарить по карманам, хотя прекрасно знал, что не найдёт там и сантима. И тогда, решительно сдёрнув с себя бархатный пажеский плащ, накинул его на плечи нищего мальчугана и бросился бежать!..

Ему было нестерпимо стыдно! Что стоили его успех, его великолепие, когда на свете столько горя!..

«Музыка — это голос нашего сердца!» — сказал королю Моцарт.

Много позже, вспоминая о Париже, о маленьком нищем на набережной Сены, Моцарт сочинил колыбельную песню — воплощение любви и нежности. В ней были радость и грусть, печаль и надежда:

Спи, моя радость, усни,
В доме погасли огни,
Рыбки уснули в пруду,
Птички утихли в саду,
В лунный серебряный свет
Каждый листочек одет...
Глазки скорее сомкни,
Спи, моя радость, усни,
Усни, усни...

В доме всё стихло давно,
В кухне, в подвале темно,
Дверь ни одна не скрипит,
Мышка за печкою спит,
Кто-то вздохнул за стеной,
Что нам за дело, родной?..
Глазки скорее сомкни,
Спи, моя радость, усни,
Усни, усни...

Завтра ты будешь опять
Бегать, смеяться, играть.
Завтра тебе я в саду
Много цветочков найду,
Всё-то достать поспешишь,
Лишь бы не плакал малыш!
Глазки скорее сомкни,
Спи, моя радость, усни,
Усни, усни...

О первой национальной опере, о великом Глюке и маленьком Моцарте

...Однажды молодой австрийский император, пощипывая пышное кружевное жабо, неожиданно сделал рукой жест, напоминающий полёт дирижёрской палочки.

Придворные тотчас же поняли намёк

своего императора и заказали Моцарту комическую оперу-буффа.

Что такое «буффа» или «буфф»? Пожалуй, это то же самое, что «уфф!» или «пуфф!». Так отдуваются от хохота зрители, когда им приходится видеть или слышать что-нибудь очень смешное и весёлое: «Уфф-пуфф-буфф!»

Однако на представлении оперы Моцарта посмеяться никому не пришлось. И хотя уже шли репетиции и театральные примадонны пробовали пружинки голосов, комической опере-буффа так и не суждено было подняться на сцену.

И знаете почему?

Знаменитые венские музыканты, все как один, выразили своё неудовольствие Моцартом. И самым важным среди них был Глюк.

Глюк был не просто музыкантом и композитором. Похожий больше на серебряный орга́н, чем на живого человека, он как бы олицетворял сам дух музыки! К сожалению, слава пришла к Глюку с опозданием. И теперь этот живой серебряный орга́н, как ребёнок, дулся на маленького Моцарта.

Злые умы истолковали недовольство знаменитого старика по-своему: великий Глюк не признаёт юного Моцарта!

И вскоре двери императорского театра закрылись перед удачливым маэстрино.

Рассерженный Вольфганг так стукнул по оперной папке, что ноты, словно птицы, разлетелись во все стороны! Жалкие и одинокие, они летели по всей Вене, опускались на дома и деревья... Казалось, весь город справляет белый траур по маленькому Моцарту.

Среди всех нотных листков один оказался счастливым. Его поднял добрый доктор Месмер. Свернув листок подзорной трубой, он посмотрел на дом Моцарта.

Отчаявшийся Вольфганг стоял у окна и рисовал на нём пальцем бесконечные унылые кружочки...

Но вот в окно стукнула докторская трость, и кружочки, точно биллиардные шары, вмиг разлетелись! За распахнутым окном открылась площадь — весёлая, нарядная, ликующая!

— Вы видите, Вольфганг, как веселится народ?! — воскликнул Месмер. — Сегодня я заказываю вам новую оперу! Народную, с танцами!

«Народную оперу?! Да это же настоящее чудо! Будто огромная хлопушка взрывается каскадом разноцветных конфетти!

Праздничные спектакли, бродячие цирки, ярмарочные балаганы!»...

Картины, одна удивительнее другой, возникали перед глазами — весёлые, волшебные, неповторимые!..

Такой неповторимой и вышла новая опера Моцарта «Бастиен и Бастиена» — по-взрослому смешная и по-детски трогательная.

Теперь даже самые закоренелые недоброжелатели и завистники таяли от восторга!

А старый, важный, знаменитый Глюк? Говорят, он тоже был на первом представлении. Происходящее на сцене заворожило великого музыканта! Волнуясь, он не заметил, как превратил розовый листок оперной программки в крохотный лёгкий кораблик.

«О, это добрый знак!» — улыбнулся Глюк и, не дожидаясь, пока упадёт тяжёлый занавес, с восторгом воскликнул:

— Браво! Браво, Моцарт!

О сказке
с печальным концом

Озарённая блистательным успехом, жизнь маленького Моцарта была похожа на сказку.

Однако заглянем в итальянский город Болонью, на благороднейшую Страда Сан-Донато.

Там, в сумрачном здании старинной академии, на одной из стен, потемневших от времени, хранился когда-то портрет юного Моцарта. Удивительное творение! В обрамлении парадной красоты и лиловой торжественности — печальное и таинственное лицо мальчика. Маленький академик будто с тревогой ждёт чего-то, что-то предчувствует... Но что?..

Поведаю я тебе, мой читатель, одну историю.

Жил когда-то на свете сиятельный вельможа. И славился он в мире своей великой любовью к прекрасному. Лучшие картины, старинные гобелены, статуэтки и фарфор украшали его гостиную. Но не роскошные гобелены, не распахнутые, как солнце, веера, не молочно-румяный фарфор, а маленький живой музыкант — вот что было самым прекрасным в доме графа!

Серебряный паричок, лиловый камзол и крохотная шпага делали маленького музыканта похожим на изящную статуэтку. Сиятельный хозяин и его высокопоставленные гости не чаяли в игрушечном музыканте души! Особенно, когда он садился за клавесин и начинал играть. А играл он — чудо как легко и красиво!

— Сказочный гномик! Изумительная вещь! — сюсюкали напыщенные господа, сложив губы рюмочкой.

...Но время шло. Гномик рос, становился старше. И однажды, после игры, он встал посреди роскошной гостиной и сказал:

— Господа! Гномика больше нет! Взгляните, я совсем уже взрослый!

Бедный, бедный музыкант! Он ждал дружеских приветствий, сердечных поздравлений... Увы!

Сиятельный граф смерил его презрительным взглядом:

— Ну что ж, любезнейший, — сказал он, — коль вы перестали быть игрушкой, ваше место на кухне!

И музыканта прогнали прочь...

Вот какой печальный конец у сказки о маленьком музыканте, похожем на фарфоровую статуэтку.

Серебряный паричок, лиловый камзол и шпага принца...

Надеюсь, мой читатель, ты всё понял.

Да, это рассказ о нём, о маленьком Моцарте. Именно такой и была его жизнь, когда он возвратился в родной Зальцбург после долгих странствий.

Из блестящего мира концертных залов и сверкающих гостиных он сразу, будто оступившись, упал в лакейскую.

Так поступил с ним его хозяин — архиепископ. Иначе не могло и быть. Пока Моцарт был маленьким чудом, забавной игрушкой знатных господ, его любили и баловали.

Но взрослый он не мог без разрешения переступить порог аристократического салона. Там ценился не талант, а титул.

Всякий раз напыщенный мажордом, ударяя о пол жезлом, торжественно, словно внося новое блюдо, провозглашал:

— Его сиятельство князь!.. Его величество граф!..

А что он мог сказать о Моцарте?!

Внук переплётчика, бедняк из Зальцбурга. Да кто же будет ему кланяться? Кто станет уважать?..

Правда, возмущённый юноша писал потом, что чести и достоинства в нём гораздо больше, чем у любого графа. Да какой прок в тех высоких словах?!

Когда впервые гордый музыкант захотел сказать об этом вслух, секретарь архиепископа просто пнул его башмаком. И пока он падал, каждая ступенька мраморной лестницы отзывалась жестоким смехом архиепископского секретаря:

— Безродный

му-зы-кан-тиш-ка!

Ха-ха-ха!..

Небольшое заключение

Итак, кончилось детство Моцарта. Кончилась сказка...

Началась другая, не похожая на сказку, взрослая жизнь.

Она началась с той поры, когда юный Моцарт последний раз простился с Зальцбургом и навсегда уехал в Вену.

Напрасно грустили о нём зальцбуржцы. Напрасно ждали его ночами запечные сверчки, настраивая свои волшебные скрипочки. Вольфганг так и не вернулся.

А вскоре почтовая карета привезла из австрийской столицы письмо. В нём торжественно извещалось:

«Вольфганг Амадей Моцарт стал первым независимым музыкантом XVIII столетия!»

Теперь он подчинялся одной музыке. И только ей!

...Звучит музыка Моцарта. И светлеет мир, и пробуждается сердце, рвущееся навстречу счастью.

И если ты, мой читатель, успел полюбить маленького Моцарта и тебе не хочется с ним расставаться, послушай его прекрасную музыку...

СВЕТЛЫЙ ДЕНЬ БЕТХОВЕНА

Пассаж никак не давался, и Людвиг в нетерпении стучал ногой, а паркет негодующе вздрагивал:

— Что с Вами, маэстро? Вы, наверное, устали?

Ну, конечно, устал. Мальчик в последний раз взмахнул смычком и отложил скрипку, и тут снизу раздался скрипучий голос отца:

— Людвиг, ты опять не играешь?

Пришлось снова взять инструмент, но сколько мальчик не старался — звукам не хватало прежней лёгкости, они не плыли, не летели, а будто шли вверх по старой скрипучей лестнице и, внезапно споткнувшись, шлёпались вниз. Единой мелодии не получалось. И хотя снизу опять кричал отец: «Людвиг, Людвиг!», Людвиг ничего не мог сделать, нельзя играть семь часов кряду, даже если завтра концерт. Тем более, плату за его выступление как всегда пóлучит отец, а он вертопрах и пьяница.

Правда, раньше мальчик не верил. Но недавно сам видел: всклокоченная голова отца лежала среди пивных кружек и, покачивая пивную пену, сладко посапывала. Позор.

И вот ради этого позора он должен играть по семь часов каждый день. Нет! Тогда лучше долой музыку, долой искусство.

Вот так, так. Людвиг отбрасывает пюпитр и одним взмахом, точно выхватив шпагу, распахивает окно.

Сквозь волнующее сито листвы сеется солнечный свет и ложится на землю прозрачными лепестками. Лепестки хотят улететь, но, едва приподнявшись, вновь припадают к земле, словно забыли поцеловать её на прощание. И весь день длится эта встреча, это прощание солнечного света с травой. И от того день кажется теперь Людвигу прекрасным, самым прекрасным на свете. Мальчик смеётся и незаметно гладит светлые блики на лице.

Издали доносится человечий щебет — это дети, надув барабанами щёки, пускают розовые кораблики.

— Добрый день, мореплаватели, —

кричит им маленький Бетховен и шлёпа-
ет ногой в лужу.

— А ты, ты что лезешь? — задиристо
дрожащим голосом спрашивает старший.

— Да я... я, — и Людвиг хватает ворч-
ливого мальчишку в охапку.

— Перестань, музыка, — просит по-
беждённый враг, — мне щекотно.

— Щекотно? — торжествуя, спрашивает победитель. И вдруг требует: — А ну,
кричи, долой музыку!

— Долой, долой музыку! — кричат все
четверо.

В ответ на крик из окна выглядывает
испуганное лицо отца, он хмурится, уст-
рашающе вращает глазами, но Людвиг
уже убегает.

Всё забыто. И старый дом, и гаммы, и
скрипка. Нет, он не вернётся больше к ним.

Людвиг радостно хлопает в ладоши, как
бы аплодируя сам себе. Вдруг, прерывая
его аплодисменты, с неба доносится гром.

Дождь. Дети, смеясь, летят по лужам
в оранжевом облаке брызг. А Людвиг,
сделав первый шаг, внезапно останавлива-
ется. Он слышит. Да, да, мальчик вновь
слушает музыку. Это — сеющий дождь
поёт в листве точно старая дедовская
скрипка. И сколь в отчаянии не трясёт

мальчик головой, эта мелодия не уходит. Она бурлит, переполняет его сердце, мучительно ищет выхода. Она просит, чтоб её сыграли, повторили.

И, уже не обращая внимания на дождь, на лужи, мальчик летит домой.

— Прощай, музыка! — кричат ему вдогонку дети.

А Людвиг, Людвиг ей уже говорит «здравствуй».

Сегодня он опять будет играть, восьмой час кряду.

* * *

Биографы Бетховена обычно говорят: детство его было безрадостным. Лишь иногда являлись светлые дни. Быть может, о таком дне я и рассказал вам сегодня.

СТАРЫЙ СУНДУЧОК

Как ни странно — сундучок этот поставили впереди, рядом с роялем.

— Кто вы такой? — спросил рояль, строго. — Как вы посмели стать сюда?

— Да я же твой дедушка.

— Мой дедушка? Не может быть! Вы

слишком маленький. И вообще, весьма невзрачный.

— Да ты, послушай, — попросил его сундучок и взял первую ноту — «трам-там».

— Похоже, очень даже похоже, — затараторили инструменты.

— Нет, — прервал рояль, — ничего похожего.

Но инструменты опять затараторили:

— Очень, очень похоже!

— Не верю! — и рояль опять рассердился. И вдруг сказал: — Но если ты мой дедушка, то как все дедушки ты должен знать сказки.

— Конечно, — согласился сундучок, — только сейчас зажгу свечи.

Вспыхнули свечи. И в крышке рояля, словно в чёрной воде, поплыли золотые листья.

— Ах, — вздохнули инструменты, — как это красиво и удивительно.

Потом зазвучала музыка, старинная, похожая на звон серебряных колокольчиков. Тут все инструменты радостно улыбнулись.

Разные мастерские есть на свете. В одних чинят кастрюли, велосипеды, в других чинят часы. Но самая красивая, самая удивительная мастерская это та, где чинят музыкальные инструменты. За целый квартал слышно, как они жалуются и вздыхают.

И вот об интересном случае, что произошёл в его мастерской, я и хочу рассказать.

Вы слышите, как вздохнул рояль. Вот именно о нём я и хочу рассказать.

Чёрный слоноподобный рояль считал себя самым важным. Ну, конечно, у него был самый громкий голос. Он один звучал, как целый оркестр.

И потом он выглядел всегда солидно, как самый важный маэстро. Весь в чёрном, и только клавиши крахмальной белизны.

И безусловно, никто не мог сравниться с ним — ни виолончель, ни контрабас. Ни даже красавица скрипка — царица оркестра. Да. Но рояль, рояль был всё-таки король. Король музыки.

И хотел кто-нибудь или не хотел, но всё равно каждый музыкальный инструмент поклонялся роялю.

— Ваше величество, Ваше высочество, — говорили они ему.

И рояль, как должное, принимал все эти восхваления. А если рояль выступал на сцене, то весь оркестр должен был его

226

слушать. А если кто-то из инструментов начинал раньше времени, то публика сердилась и шикала. Как плох этот оркестр. И поэтому все беспрекословно подчинялись роялю. Никто из оркестра не только не обижался, но даже почитал за счастье играть вместе. Ведь для каждого инструмента прежде всего важна музыка. Важны похвалы публики. И чего не вытерпишь, чтобы тебе крикнули — «браво»! Оттого все и мирились с таким положением. Но рояль, рояль, что скрывать, не отличался скромностью. Успехом своим он весьма и весьма гордился. И каждому повторял:

— Ну что вы без меня! И кто вас будет слушать.

— Но однажды к ним в оркестр принесли какой-то инструмент. Он был небольшой и похож не то на старинную карету, не то на сундучок.

А из подполья откуда-то вдруг вылезла мышка.

— Не узнаёте? — спросила она.

— Нет, — ответили инструменты. — К сожалению, мы забыли.

— А помните, — сказала мышка,— Старая Вена. Мерцающие фонари, похожие на бокалы. Черепичные крыши и треугольные шляпы, похожие на крыши домов. Вечер. Идёт снег, лёгкий и пышный, как фиолетовые цветы. И где-то в золотых туфельках танцует Золушка.

— Ну, конечно, — заохали инструменты. — Это же клавесин!

— Волшебная музыка, — сказал кто-то из инструментов.

И все за ним повторили:

— Волшебная.

И наконец рояль и сам произнёс:

— Волшебная! — А задумавшись, потом добавил: — Что ж, я так не умею!

Да теперь и никто уже так не умеет.

И с той поры старинный клавесин стал самой уважаемой персоной в оркестре. Даже рояль не завидовал ему. Ведь старый клавесин умел делать то, что ныне никто не умеет — рассказывать старинные сказки.

РОЗОВОЕ И ГОЛУБОЕ

Григ был в самом расцвете творчества, когда врачи запретили ему музицировать.

— Дорогой Эдвард, — сказал врач. — Я знаю, вы безумно любите музыку. Но ради здоровья, ради здоровья...

И Григ оставил рояль.

Большой, похожий на чёрного слона, рояль одиноко стоял в пустой комнате.

Ночами Григу даже казалось, что рояль вздыхает. Сам композитор тоже вздыхал. Он не хотел жаловаться и приучил себя к тишине.

Тишина. Тишина робко, на цыпочках, кралась в дом. А из дома уходила музыка. И с каждым днём дом сиротел всё больше.

Не приезжали больше гости, не вспыхивали вечерами свечи, не приходили из леса тихие гномы и, прижав курносые носы к стеклу, не слушали его музыки.

Врачи запретили Григу музицировать.

А однажды ночью ушли сверчки. Те самые сверчки, что помогали ему сочинять.

Вечерами, когда вспыхивали дрожащие свечи и блестящее пламя их плавало в крышке рояля, как золотые листья в чёрной воде, тогда из тёмных углов в бархатных камзолах выходили маленькие музыканты. Незаметно устраивались они у ножки рояля и настраивали свои скрипки.

Те тихие голоса в музыке Грига и были голосами сверчков, вернее, голосами их маленьких скрипок. А сегодня сверчки покидали его. Они очень любили старого Грига, но ещё больше его музыку.

Строгие, торжественные, в чёрном, они молча шли к дверям. И каждый на прощание снимал на пороге розовый цилиндр.

Последним уходил самый маленький сверчок. Да, самый маленький. И потому плакал. А когда он переступил порог и смахнул кулачком слёзы, то лицом к лицу столкнулся с гномом.

Гном был такой же юный, только ещё более бестолковый. Он спросил:

— Такой торжественный! Куда?

— Никуда, — тихо ответил сверчок.

— А всё-таки?

— Всё-таки, никуда...

— Никуда, — удивился гном и тут же добавил, — значит, что-то случилось...

— Случилось... умирает Григ.

— Григ! — гном вздрогнул и испуганно пролепетал, — Боже. А как же наш король? Он ведь заказал Григу музыку для коронации. Надо тотчас доложить ему об этом...

Гном хлопнул в ладоши, и явилась золотая карета с алыми лошадками. Быстро неслись музыкант и гном по стране троллей. И везде перед ними открывались сказочные ворота.

А ещё сверчок слышал, как кто-то вслед ему сказал:

— Едет королевская музыка.

Королевская... Увы...

Когда музыкант вошёл в тронный зал, то король гневно воскликнул:

— Почему в чёрном?! Сегодня все в розовом и голубом. Это мой праздник.

— Да, ваше величество... — вошедший поклонился. — Розовый цилиндр я оставил у двери.

— А музыку?

— Музыка умирает. Старому Григу совсем плохо...

— Как плохо?! Да он же бессмертен!

— Возможно... — согласился сверчок. — Но врачи запретили ему музицировать.

— Запретили... — король покачал головой. — Глупцы. Григ должен играть. Иначе он и в самом деле умрёт!

* * *

Среди ночи Эдвард внезапно проснулся.

Звучала музыка... там-там... раздавалось в глубине зала.

Большой чёрный рояль напоминал море и розовый остров.

Да, да... Всё это было... и море, и остров... и маленький оркестр в розовом и голубом.

231

Григ никак не мог понять, что играют эти маленькие музыканты. Они играли что-то неизвестное, но вместе с тем очень знакомое.

А когда погасли свечи, музыканты умолкли.

— Куда же вы, — пытался остановить их композитор. — Вы не доиграли вашей симфонии.

Но маленький дирижёр, подняв палочку, грустно и нежно ответил:

— Мы уходим в страну гномов. Скоро утро. А симфонию, маэстро, вы доиграете, проснувшись сами.

* * *

Говорят, так и было. Утром, отстранив попечителей, маэстро вновь сел за рояль и проиграл приснившийся ему мотив.

После этого случая Григ играл ещё без малого десяток лет. И медицина бессильна была уже открыть истоки его жизненной силы.

И вот сегодня я и попытался объяснить тот удивительный случай сказкой.

Кто знает, быть может, так же объяснял это и волшебник Григ.

РАССКАЗЫ

РАССКАЗЫ

ЧТО ГОВОРИЛИ ЦВЕТЫ

Фиалки

Во Франции у меня есть один знакомый. Недавно он прислал мне письмо.

«Дорогой друг, в Париже уже весна. На бульварах продают фиалки».

Я ему ответил:

«Анри, и у нас весна, на московских бульварах тоже фиалки. Да, да. Когда в мире весна, везде и всюду появляются фиалки».

В Париже, в Лондоне, Москве у фиалок нежный и тонкий запах. За это их и любят люди. А ещё есть фиалки, что цветут ночью. Они белые, белые.

Сказочник Андерсен когда-то говорил: только в честь прекрасных роз поют соловьи.

Конечно, он ошибся. Они поют в честь беленьких фиалок: вечером фиалки про-

235

сыпаются с первой соловьиной трелью, а закрывают лепестки лишь с последней.

Белые фиалки — самые поэтичные цветы. Ради соловьиной музыки они не спят ночами.

Подснежник

Я тебе сказал: фиалки — цветы весны. Это не совсем точно. Первыми весной появляются подснежники.

Чуть солнышко пригреет, дохнёт на сугроб, а оттуда словно из разбитого яичка — цветок проклюнется. Ещё не весь снег растаял, лежит на земле серыми гнёздами, а среди этих гнёзд уже подснежники стоят — весну встречают.

Каждую весну я езжу в лес за этими цветами. А однажды со мной был такой случай. Сел я в обратный автобус, а билет взять забыл. И вдруг контролёр: ваши билетики.

Я туда, сюда — нет.

Стал он меня корить:

— Такой солидный гражданин — и без билета. Потом спросил: — А откуда вы?

Я совсем смутился и, не зная, что ответить, достал из сумки букет подснежников.

— Да, — неожиданно протянул контролёр, — с таким букетом я, конечно, не имею права на штраф. Вы же в город весну везёте. — Тут он улыбнулся.

А вслед за ним улыбнулись и все остальные.

В автобус вместе с подснежниками вошла весна.

Колокольчик

Лиловый колокольчик, кто его не знает! Все поля и луга усеяны колокольчиками.

Но колокольчик не простой цветок, он волшебный. Наши предки не только любовались им. Он научил их думать.

Взглянул какой-то кузнец на луговой колокольчик и придумал свой, медный. Началось с маленького, а кончилось большим.

Потом большие колокола лить стали. Если враг на нашу землю нападал, эти колокола народ созывали.

До сих пор в Кремле стоит царь-колокол. Он весит много, много тонн...

Только в отличие от медных и других колоколов лиловый колокольчик не говорит совсем. Других научил звенеть, а сам вот молчит. Ну что, может быть, и правильно молчит. Зачем зря хвалиться. И так каждому ясно — молодец колокольчик.

Анютины глазки

Анютины глазки. Анютины глазки — весёлые цветы. И действительно, они похожи на глаза девочки.

Но, главное, цветы эти не умирают.

И фиалки, и ромашки теряют осенью лепестки. А Анютины глазки живут, всю долгую зиму спят они под снегом. А когда придёт голубая весна, снега стают, Анютины глазки вновь проснутся и взглянут на мир так радостно, будто бы и не было долгой зимы.

Весёлые цветы Анютины глазки.

Незабудка

Незабудка. Почему её так назвали? Долго я думал и, наконец, понял. Пожалел её кто-то. Цветок незабудки простенький, голубой. Ни красотой, ни запахом он не поражает.

Увидишь раз и забудешь.

Вот, чтобы не забыть, её так и назвали: незабудка. Простоту и скромность тоже ценить надо. Никогда не забывать об этом.

Гвоздика

Гвоздика — алый цветок. Он как маленькое знамя.

И он действительно знамя.

Когда-то давным-давно во Франции народ восстал против короля. Другие короли обиделись и пошли на страну войной. Они хотели завоевать Францию, захватить её столицу Париж. Но народ не допустил. После обращения революционного правительства: «Отечество в опасности!» — люди взялись за ружья. На фронт уходили батальоны. Их провожали с песнями, а на груди каждого солдата горела гвоздика. Это был знак храбрости. И с тех пор на могилу павших солдат всегда возлагают букетики гвоздик.

Красная гвоздика — солдатский цветок.

Одуванчики

Самые загадочные цветы — одуванчики. То они есть, а то их нет. Идёшь, бывало, по лугу, и там — целые острова одуванчиков. Потом время пройдёт, и острова куда-то скроются.

Долго я думал, почему это? И наконец, понял: одуванчики дождя боятся. Стоит тучке в небе появиться, у них бутон уже закрыт.

Конечно, загадка простая, но всё-таки она есть. Вот потому зовут одуванчик загадочный цветком.

Ромашка

Где цветут ромашки, белые цветы с солнышком внутри?

Они цветут на полях, на лугах. А ещё на кружевах и вышивках. Большие цветы эти вышивают на полотенцах, на рубашках, на платьях.

Почему?

Давно когда-то у нас на Руси был праздник весны и лета. Тогда уходили дéвицы на луга, хороводы там водили, песни пели. А из белых цветов венки плели. Венками теми деревья и дома украшали.

Теперь эти праздники забыты. Но в память о том, праздничные платья и сейчас украшают: вышивают ромашкой.

Белая ромашка — это светлый, праздничный цветок.

Что говорили цветы

Тихо на лугу. Один кузнечик стрекотал что-то. Тр-р...

Потом пришёл ветер, и все цветы заговорили:

Мак сказал:

— Вчера была алая заря, потому сегодня ветер.

Длинный важный подсолнух произнёс:

— Конечно, вчера было алое солнышко. Оно никогда не бывает к тихой погоде. Оно всегда к ветру.

Синяя незабудка тоже о чём-то хотела пролепетать. Но, как всегда, всё перезабыла.

Львиный зев потянулся и зевнул:

— Сейчас ветер, потом дождь... Спать хочется.

Голубой колокольчик грустно звякнул:

— Динь... очень плохо, что на улице ветер. Ветер принесёт серые тучи, целый день-день-день будет лить дождь.

А красный петушок за речкой, который слышал весь этот разговор, вдруг громко пропел «ку-ка-ре-ку!».

И тут все подумали. Наверно, и в самом деле пойдёт дождь. Пора надевать галоши.

КАКИЕ ЯГОДЫ БЫВАЮТ

Брусника

Летом все идут по ягоды.

Вы, наверное, тоже пойдёте. А кто-то даже в первый раз.

Вот я и решил помочь первым ягодникам. Рассказать, какие ягоды бывают и как их брать.

За земляникой можно, например, идти и с кружкой, а за брусникой — обязательно с ведром. Брусники много, так много, что кажется, будто это зелёный и красный град выпал. Выпал, да забыл растаять.

Брусника растёт ковром. И полчаса не минет, а ведёрко полное.

За день-то, пока солнышко спать не ушло, не одно ведёрко принести можно.

Наносишь её кадушку дубовую, а бабушка потом водой зальёт. Будет брусника мочёная.

А когда зима придёт, достанут эту брусничку из подполья, да скажут: свежей ягодки не хотите? А мочёная брусника, и правда, всю зиму свежая. Коли хочешь вспомнить о лете, в рот её положи. Она пахучая.

Черника

Почему черника — ясно, потому что чёрная. Когда её едят, то рот и зубы тоже чернеют. Их долго, долго потом надо чистить.

Но люди всё-таки берут. Они знают: сверху ягода эта чёрная, а внутри сочная и красная, как спелейший арбуз. В июле и августе, когда она поспевает, все идут за ней в лес.

Черника — сладкая ягода. Это нарочно такой неказистой она притворяется, чтобы не брали.

Рябина

О рябине обычно говорят: грустная. Но я не верю. Рябина — это весёлое дерево. Осенью поздней, когда в лесу весь лист падёт, на одной рябине ягодные гроздья. Они красные, они ясные.

Встану я утром, выгляну в сад, в саду голо, одна рябина светится. И долго-долго, ползимы, огонёк этот умирать не хочет.

Думаю сорвать веточку, да жаль. Лучше птицам оставить. Красавцы-снегири и весёлые свиристели всю зиму кормятся у рябинки. И ты зимой её тоже можешь попробовать. Врачи говорят, в ней всю зиму витамины сохраняются. Весной рябина вновь расцветает. Цветёт белыми цветами. Так и в песне поётся: «Ах, рябина, кудрявая — белые цветы...».

Крыжовник

Когда я был маленьким, меня часто спрашивали: на что это похоже? А это на что?

И вот однажды меня спросили: на что похоже кружево?

Я подумал и сказал: на листья крыжовника.

Все засмеялись, а я обиделся. Вышел в сад, сорвал листок и посмотрел. Ну, конечно...

Точно такие кружева я из бумаги вырезал. А ягода крыжовника тоже не простая: пушистая, мохнатая. Точно шерстяной клубочек, из чего кружево плетут.

А ещё зовут крыжовник северным виноградом. Это потому: он самая сахарная и витаминная ягода. Да и красивей он южного винограда. Ведь тот виноград или зелёный, или чёрный. А крыжовник разный: жёлтый, как старый янтарь, или чуть-чуть розовый. Таким розовым бывает небо самой ранней весной.

Клюква

Крыжовник зовут северным виноградом. Ну, а как прозвать клюквинку? Тоже очень просто — северным лимоном, она ведь кислая, кислая. Недаром говорят про человека с плохим настроением: будто он клюквинку съел. Это, конечно, шутка.

У нас на севере клюкву очень любят. Я и сам часто в лес по неё хожу. Только не осенью, а весной.

Почему весной, а вот почему: если посыпать клюкву сахаром, она станет слаще. Если снегом, — оказывается, — тоже.

Черёмуха

У нас на севере не цветут яблони. Нет и роз. Но всё равно, у нас весной красиво. Весной на севере цветут черёмухи. Они белые-белые. Глянешь на них и, кажется, будто на ветви черёмух облака отдохнуть сели.

Так и хочется их гладить.

А когда пройдёт весна и пушистым «снегом» осыпется дерево — мы ждём ягод.

В августе черёмуха ягоды родит. Ягоды чёрные, блестящие.

Из других ягод варенье варят. А из этих у нас пироги пекут.

Земляника

Земляника растёт не кверху, а по земле стелется. Вот потому её так и зовут — земляника.

Земляника — самая ранняя ягода. Она созревает в середине лета. Чуть солнышко посильней пригреет, земляника краснеть начнёт. Пойдёшь в лес, выйдешь на поляну, и сразу её заметишь, среди зелёной травы красная-красная капелька.

Я сказал: капелька — это верно. Лесная земляника совсем небольшая. Садовая крупнее. А какая лучше? Лично я больше люблю лесную. Она душистая, лесом и солнцем пахнет. Немцы так и зовут эту ягоду — лесное яблоко.

ЖИВАЯ КАПЛЯ ВОДЫ

Капля воды

Что пьют цветы? Чай. Голубой чай, палую росу. Вода — это самое главное. Воды всем нужно много.

Без воды никто и ничто не живёт. Нет воды — и нет цветов. Нет воды — и нет травы. Нет воды — и нет красивых больших деревьев.

Вот, например, на Луне никогда не бывает дождей. Правда, там есть Море дождей, но это только шутка. Воды в нём ни дождиночки. Поэтому и на Луне ничего не растёт, не цветёт, никто не живёт там. Скучно и грустно.

А на Земле весело. Здесь цветы, здесь трава, здесь большие красивые деревья. И воды на Земле много-много. Есть большая вода — океаны. Вода поменьше — моря. Потом реки, озёра и весёлая вода — колокольчиковая. Это когда весной тает снег, бегут ручьи и целый день-день звенят: добрый день, солнышко! Добрый день, люди!

Я не могу рассказать тебе обо всей воде. Это очень много. Лучше я расскажу тебе о каждой воде по капельке. О капельке моря, о капельке реки, о весёлой дождинке. День-день...

Слушай.

Капля моря

Кто плачет? Маленькие мальчики и маленькие девочки.

А ещё деревья после дождя. Плачут о прошедшем дождике. Но знаешь, кто больше всех плачет? Морская черепаха.

Однажды мне пришлось плыть на корабле. И вот как-то раз мы поймали черепаху. Она была большой-большой. Не черепаха, а настоящий домик на косолапых ножках. Посадили мы эту черепаху на палубу. А она вдруг расплакалась. Утром плакала, вечером плакала и в обед тоже — кап-кап... Укатилось солнышко в море — черепаха плачет. Ей солнышка жалко. Погасли звёзды — снова плачет. Жалко ей звёздочек.

Нам тоже стало жалко черепаху, и отпустили мы её в синее море. Потом узнали: обманула она нас... Ничего ей не было жалко — плакала она просто так. Черепашьим слезам нельзя верить. Плачут черепахи потому, что они живут в море. В каждой капельке морской воды есть капелька соли. Чтобы пить морскую воду, надо соль выпаривать.

Черепаха лишнюю соль просто выплакивает.

В разных морях черепахи плачут по-разному. В одном — больше, в другом — меньше. Это оттого, сколько капелек соли в капельке морской воды.

Есть моря очень солёные. Вот Мёртвое море. Но не думай, что оно на самом деле мёртвое. В нём тоже живут.

Например, совсем недавно в соляном пласте, что был глубоко под землёй, учёные нашли очень странных микробов. Все думали, что они неживые. Но они, когда попали на воздух, вдруг ожили. В этой солёной воде они просто спали. Спали очень долго — 200 миллионов лет. Конечно, в таком солёном море можно только спать.

Трудно в таком море плавать, но зато удобно лежать на его волнах даже человеку.

У нас в Советском Союзе самое солёное море — Каспийское. У этого моря есть залив — Кара-Богаз-Гол. Про него говорят — не залив, а настоящая солонка. Соль из этой солонки развозят потом по всей стране на разные заводы. И соль эта не простая. Из неё делают много различных вещей. А каких — я расскажу тебе дальше.

Бабочка

Живёт на Урале один весёлый человек. Он очень любит бабочек. Ты любишь бабочек, потому что они красивые. А дяде бабочки нравятся вовсе не поэтому. Он работает в институте, который изучает металлы.

«А при чём же тут бабочки?» — спросишь ты.

А вот при чём. Люди, которые ищут металлы, называются геологами. Люди, которые изучают растения, называются ботаниками. А ещё есть наука, которая изучает цветы и металлы вместе. Называется она геоботаника. Оказывается, некоторые цветы особенно часто растут именно там, где есть цветные металлы.

Ну, а при чём же всё-таки бабочки?

У каждой бабочки свой вкус. У каждой свои цветы, на которые она всегда садится. Значит, по бабочке можно определить, где какие цветы. А по цветам — где какие металлы.

Это хорошо. Но не совсем. Ведь цветы вянут, да и бабочки тоже живут недолго. Что же живёт долго? Вода. Да, да, маленькая капелька воды... Она нам и здесь поможет. Конечно, не всякая капелька. А та, которая живёт под землёй. Эта капелька о многом может рассказать.

Ведь капелька не просто была под землёй. Она с кем-то встречалась, кого-то видела. Когда она встречалась с солью, то становилась солёной. Если видела мел, —

бледнела, а встретив железо, делалась бурой.

А если вода кислая? Значит, ей на пути попалась нефть.

Вот так. Теперь, где люди раньше искали воду, сегодня строят большие шахты, рудники, добывают нефть, уголь, и в этом во всём им помогла маленькая капелька.

Зачем я тебе рассказал всё это? Капелька маленькая, ты тоже маленький, но и маленький может много знать.

Горячая капля

Хорошо зимой сидеть у окна! Там, за окном, с неба падают белые розы-снежинки. Им холодно. А тебе тепло, потому что в твоём доме тепло. Хорошо сидеть зимой у окна! Но ещё веселее сидеть у печки и смотреть в её алое окошечко. Сказочные лебеди летят там. Их розовые крылья плещутся и шуршат. И кажется, будто они говорят что-то. Это рассказывает сам о себе огонь: «Я несу на своих крыльях солнце, я сам частица его. Я грею!» Да, огонь греет нас. Он греет наши печи. А печи греют наши дома.

Раньше в каждой квартире, даже в

каждой комнате была своя печь. А теперь во всём десятиэтажном доме ни на одном этаже не найдёшь печи. Везде только батареи-гармошки. Зимой они горячие. А кто их нагрел? Печь. Но куда же она спряталась? Эта печь живёт в подвале твоего дома. Она большая-большая и греет много-много воды. Горячая вода греет много-много батарей — все батареи в твоём десятиэтажном доме.

А знаешь ли ты, что есть дома, где батареи зимой горячие, а печи в доме совсем нет?

Видел ли ты когда-нибудь фонтаны? Вода поднимается вверх и рассыпается капельками. Такие фонтаны делают в парке, чтобы было прохладно. Но на земле есть тёплые фонтаны. В холодных странах, где бьют такие фонтанчики, рядом с ними всегда тепло. Там больше растёт цветов, раньше распускаются деревья, веселее поют птицы. А водой этой люди топят дома. А ещё они строят оранжереи и в этих оранжереях выращивают южные растения.

Гейзеры — так называют горячие фонтаны. Столб сердитой горячей воды поднимается на пятнадцать-двадцать метров. А пар поднимается ещё выше... на сто, сто пятьдесят метров. Кипящий фонтан вырывается из земли точно по часам. На Камчатке один гейзер начинает кипеть через каждые пятнадцать минут, а другой — два раза в месяц.

Первые гейзеры в нашей стране были открыты именно на Камчатке. С тех пор прошло двести лет, а эти два гейзера всё ещё кипятятся.

Учёные подсчитывают, сколько в мире угля, нефти, металла. А ещё они считают, сколько в мире подземной тёплой воды. И что с этой водой можно сделать. В Сибири, например, оказалось воды целое море. Если эту воду пустить по земле, раньше придёт весна. Не в марте, а в феврале.

Чтобы достать эту воду, надо пробурить скважину, и забьёт фонтан. Уже подсчитали, какой высоты будет этот фонтан. Если построить на этом месте дом, горячая вода прямо попадёт к тебе на десятый этаж. Очень удобно. И растениям тоже удобно.

Мне это очень нравится. Хорошо, когда где-то в мире идут тёплые дожди.

Стеклянный кораблик

Представь себе на минуту такое. У моря стоят мальчики и что-то слушают. Ты подходишь к ним и спрашиваешь:

— Что вы, ребята, слушаете?

— Звон, — отвечает тебе один.

— Какой звон? — удивляешься ты.

— Очень просто, — улыбается он. — Сегодня в море вышли стеклянные корабли.

Может, это сказка? Нет. Оказывается, можно сделать стеклянные корабли из соли. Называется эта соль мирабилит. Из мирабилита сейчас делают стекло. Из стекла вытягивают стеклянные нити. Из стеклянной нити делают стеклянную ткань. Ткань пропитывают смолами, и получается специальный стройматериал; из него-то и строят стеклянные корабли. Правда, пока ещё больших не делают. Особенно много мирабилита в Каспийском море.

Сейчас из стекла делают дома. В 1961 году в Ленинграде построили стеклянный домик. У него потолок и стены стеклянные и крыльцо тоже стеклянное. На самом деле, как в сказке. Подымешься по крыльцу, а крыльцо зазвенит. Наверное, хорошо жить в таком доме. Окон нет, а везде светло, радостно.

Многое можно сделать из стекла. Например, крепкую посуду. Ни огня, ни холода она не боится. Если такую стеклянную вазу поставить на лёд, а сверху налить горячий свинец, всё равно она уцелеет. Это про корабли, про дом и про вазу.

А ещё из стекла делают шубы, одежду, детали машин... и стеклянные игрушки — ёлочные.

Золотые розы

Закинул старик в море невод и поймал золотую рыбку. Почему золотую? В шутку один человек объяснил это так. Каждый вечер в море садится солнышко. От солнышка золотеет вода. Пьёт рыбка эту воду и тоже золотеет. Впрочем, конечно, это шутка. А в море серьёзно есть золото. После Первой мировой войны Германия, которой надо было платить большой долг, построила корабль. На этом корабле отправился в плавание один химик. Он хотел из морской воды добывать золото. Он взбалтывал, смешивал, переливал воду из одной пробирки в другую. Добавлял в неё всякие соли, кислоты, фильтровал и всё ждал, когда на дно пробирки начнёт падать золотой снег. Но снега было мало, и это занятие учёному пришлось оставить. Оказалось, таким путём добывать из моря золото совсем невыгодно.

А что можно добывать из моря? Очень

многое, например йод. А как его добывают? Йод из морской воды берут по капельке морские водоросли. Это живые копилки йода. Они растут и копят его. Приходит время — люди собирают водоросли и извлекают из них йод.

Железная капелька

Странно, но бывает и так: большой дядя занимается серьёзными делами, строит дома, водит тепловозы, управляет машинами. И вдруг понравится ему что-то, и станет он совсем, как маленький. Начнёт такое делать, что все удивляются: рыб приручает, цветы учит музыке... Никто не понимает, зачем ему это. Смеются над ним. Но, оказывается, ничего смешного в его делах нет. Например, цветы под музыку растут быстрее.

Однажды я был у моря. Шёл по берегу и вижу — сидят на пляже бородатые люди и пересыпают жёлтый песочек.

«Чудаки, решили стать маленькими, — подумал я. — Смешно».

Потом я узнал — совсем не смешно, если люди решили стать маленькими. В жёлтом песочке они искали железо.

В горах на Кавказе есть железная руда — магнетит. Дожди и реки размывают горы и приносят кусочки руды в море, морской прибой выплёскивает кусочки на берег. Вот почему в этом морском песке есть железная руда. Руды этой очень много. Песок, в котором железная руда, тянется на двести-триста километров вдоль моря. Эта руда рядом. Значит, рядом могут быть построены металлургические комбинаты. Здесь из руды будут выплавлять всякие металлы.

А для этого нужен уголь и электрический ток. Скоро у нас построят морские электростанции. Ведь на море бывают приливы и отливы. Чтобы сила этих приливов и отливов не пропадала зря, вот и поставят у моря турбины. Вода будет крутить эти турбины, а они дадут электрический ток для доменных печей.

Капля, которая дерётся

Иногда говорят:

— Я ни капельки не боюсь.

А вот большие камни боятся капелек. Это потому, что если много звонких капелек достаётся камню в жизни, он становится совсем другим, на себя непохожим.

Видел ли ты скалы?

Порой эти скалы очень причудливы. Они похожи на зверей, на птиц, на людей, на плывущие куда-то корабли.

И названия у этих скал тоже причудливые: Медведь-гора, Плачущая девушка, Голубой фрегат. Всё это сделали дождь и ветер. Дождь размывает скалы, а ветер разрушает и стачивает. Скалы делаются тоньше, меньше.

Чтобы размыть камень, маленькой воде-капле нужно тысячи лет. А нельзя ли это сделать быстрее?

Можно! Надо только сжать капельку, наступить на неё «слоновой ножкой». Для этого капельки накачивают в большой бак и очень, очень сильно сжимают, то есть накачивают туда воздух. Капелькам очень тесно, вода сжата, как пружина. Если теперь воду выпустить наружу, она вырвется с такой силой, что разобьёт самую твёрдую скалу.

Так люди сделали прибор, который стреляет водяными капельками. Называется он водяной пушкой или гидромонитором. Водяная пушка, или гидромонитор работает в горах, в каменоломнях. Если где-то случится обвал, гидромонитор очень быстро может его размыть. Теперь водяная пушка ушла под землю, стала шахтёром. Она размывает самые твёрдые пласты угля и делает это очень, очень быстро.

Капля, которая лечит

Говорят, однажды Доктору Айболиту позвонили слонята из Африки. Они сказали:

— У нас очень жарко.

— А что вы делаете? — спросил их доктор.

— Мы, — ответили слоны, — просто хлопаем ушами.

— Перестаньте! — закричал доктор. — Может быть буря. Лучше я вам пришлю ванну.

К ванне приделали парус, и она поплыла. По дороге в ней отдыхали китята. А когда ванна вышла на берег, пришли слонята. Они смотрели на ванну и не знали, что с нею делать. Взрослые большие слоны качали головами и приговаривали: «Глупые слонята, малые ребята! Нечего слоняться без дела. Незачем хлопать ушами. Залезайте в ванну, мойте спинку, будет вам прохладно».

Зачем я тебе всё это рассказал? Если очень жарко, надо сесть в ванну или в речку.

Ну, а если кто-то заболел, тогда надо ехать на Кавказ, в Крым. Почему так далеко? Потому что на Кавказе и в Крыму ванны лечебные.

Водяная капелька в этой ванне все лекарства берёт из-под земли. Под землёй проходят подземные реки. Они текут сквозь разные слои. Маленькая капелька пропитывается всякими солями.

Называются эти воды минеральными. Наверх они выходят сами или их выводят люди — бурят артезианские колодцы. Вода эта бывает горячей или холодной. Там, где был вулкан, вода горячая. Можно сразу пить горячий целебный чай.

На Кавказе есть город — Минеральные воды. Туда все едут лечиться. Там врачи говорят: этой водой лечить сердце, этой — печень, а этой — просто плохое настроение.

Минеральную воду развозят в бутылках по всей нашей стране. Её везут с Кавказа, из Крыма, из разных городов нашей страны.

На бутылке написано, что есть в этой воде. Бром. Это чтобы спать. Есть фосфор. Это чтобы думать. Есть и такое, чтобы меньше думать или меньше спать. Это, конечно, хорошо. Только мне иногда грустно. Почему люди написали — есть бром, есть фосфор. Надо на бутылках писать: есть радость, есть улыбка. Ведь после этой воды люди становятся весёлыми и здоровыми.

Последняя капля

О разных капельках я говорил тебе. Ну, а какая всё-таки самая дорогая капля? Капля моря? Ведь в ней золото? Нет. Самое дорогое — человеческие слёзы. Слёзы — это капельки чьего-то горя. Люди плачут, если им больно, если им грустно. Когда у тебя болит что-нибудь, ты принимаешь лекарство. Если тебе грустно, ты просишь рассказать что-нибудь смешное. Когда я писал эту книжку, я старался сделать так, чтобы тебе было весело. Надо всегда стараться делать так, чтобы люди не грустили, им было всегда радостно и весело. Если кто-то рядом плачет, ты должен ему помочь. Помни об этом.

А тебе желаю счастья.

Кап-кап... На языке дождей, на языке морей, на языке рек, на языке воды — это значит:

«До свидания, до свидания!»

ЖИВЫЕ МАРКИ

Марка — это знак какой-нибудь страны. Маленькая картинка. Она рассказывает, что растёт в этой стране, какие там реки, горы, а главное, какие там люди. Как они живут, что делают.

...Я долго собирал марки. Раз взглянул на них, закрыл глаза, сказал волшебное слово, и марки ожили. Ко мне в комнату пришёл ветер, зашумели деревья, а в окно, как в большие голубые ворота, приплыл корабль с алыми парусами. Потом я всё это записал и сейчас расскажу тебе.

Гвинея

Вот марка... На марке написано: Гвинея... Чёрные люди и лодки. Если плыть в Гвинею в «большой лодке» (так называли раньше гвинейцы корабли), первое, что увидишь — лес. Он растёт прямо из моря. Когда наступит отлив, видно — лес на ножках. У всех деревьев длинные воздушные корни. Называется такой лес мангровым. Дальше в глубь страны другой лес — тропический. Растёт он лестницей. Первое дерево маленькое, второе — побольше, а третье — совсем-совсем большое, под самые облака.

Между мангровыми зарослями и тропическим лесом — саванна. Это большая разноцветная степь с высокой травой. Кое-где попадаются кустарники и зелёные рощи. А по ночам можно услышать, как в саванне кто-то громко трубит. Это трубят дикие слоны. Может быть, они потерялись и теперь ищут друг друга. Ау-ау, как маленькие. А может, они хотят кушать вкусный салат с пальмовым маслом... Это масло есть в пальмах. В Гвинее есть такое дерево — масляничная пальма. Из плодов масляничной пальмы делают масло. Пальмовое масло идёт на мыло и на духи тоже. И духи и мыло пахнут, конечно, совсем не маслом, а морем, пальмами и красивой страной Гвинеей.

Теперь о животных. Кроме слонов, в Гвинее ещё много удивительных животных: обезьян, антилоп. В реках живут гиппопотамы. В Гвинее много рек. Над реками — совсем удивительные мосты. А один мост — совсем странный. Мост сплетён из длинных ползучих растений — лиан. По такому мосту идти и весело и страшно: дует ветер — мост качается. Однако гвинейцы по такому мосту ходят очень легко, они ловкие люди. Идёт гвинеец и несёт на голове большой кувшин.

Пройдёт по такому мосту и ни одной капли не прольёт.

Почему в Гвинее полноводные реки, большие слоновые травы, густые леса? У нас бывает лето, зима, весна, осень, а в Гвинее — только лето и осень. Летом жарко, а осенью идут сильные дожди. Они приходят с моря. Про сильный дождь ты говоришь: он как из ведра. Ну, а этот — целый водопад.

Внезапно тучи закроют небо, налетит буря, застонут деревья, а потом вдруг сверху сразу обрушится тяжёлый, большой дождь. И не просто дождь, а водопад. Ты ведь знаешь, почему водопад — вода падает не капельками, а целыми вёдрами и бочками. Вот такие в Гвинее дожди. За один час появляются целые реки.

А что едят гвинейцы? Бананы, апельсины, маниок, батат, а ещё рис. В Гвинее очень много птиц, а птицы любят рис. Поэтому гвинейские ребята всё лето сторожат рисовые посевы. А знаешь, как это делают? Среди рисового поля сажают несколько зёрен кукурузы. Когда кукуруза вырастет большой, к ней привязывают верёвочки. Дёрнет мальчик верёвочки — всё поле колышется.

Люди говорят: когда колышется в поле хлеб или рис, поле чем-то похоже на море. Я даже такую сказку слышал — было среди лесов зелёное море, в том море цвели белые и голубые острова: остров голубых васильков и остров белой ромашки.

Да, о море хлебов можно рассказывать добрые, весёлые сказки. Но море, настоящее море, которое омывает Гвинею, не всегда напоминало людям о добром. Когда-то, 500 лет назад, здесь появились белокрылые фрегаты. Это приплыли португальцы-колонизаторы. Они искали золото, пряности, перец, корицу и ещё чёрных невольников. На берегу моря португальцы построили крепость и стали грабить жителей. Жадные вожди отдавали за безделушки пленников, а потом этих пленников везли в далёкую Португалию, в главный город Лиссабон. Там их продавали. За португальцами в Гвинею пришли французские войска, купцы, работорговцы... В 1838 году первый французский корабль прошёл по реке в глубь страны. Долго боролись гвинейцы за свою независимость, и лишь в 1958 году Гвинея получила свободу. На карте Африки появилось ещё одно свободное государство — Гвинейская республика. Флаг этой республики — красный, зелёный и жёлтый. Сами гвинейцы говорят: «Красный цвет — это цвет крови, пролитой за свободу, зелёный — цвет зелёных лесов Африки, а жёлтый — жёлтое солнце Африки».

Мадагаскар

Почему появились бабочки? Однажды цветок сказал ветру:

— Хочу быть птицей.

— Что ж, — вздохнул ветер, — ф-у-у... пожалуйста.

Так синим вечером появилась алая бабочка.

Это, конечно, сказка. Ну, а вот это — правда. На почтовой марке Мадагаскара нарисована бабочка. Остров Мадагаскар — родина самых крупных в мире бабочек. Путешественники, покидая его, обязательно увозят на память стеклянные коробки. Там, закрыв зелёные глаза, спит алая бабочка. Её крылья, как бархатный веер.

А где живут большие бабочки? Когда я спросил об этом одного маленького мальчика, он сказал:

— Наверно, на больших баобабах.

Раньше и я думал так же. Теперь знаю — нет.

В поле, в лесу. А кто ещё живёт в поле и в лесу? Звери и птицы. Когда я отправляюсь в путешествие, то разбиваю палатку и слушаю птиц. Хорошо, красиво... А если бы мне пришлось путешествовать по Мадагаскару, знаешь, где бы я жил? Под большим деревом. Для путешественников на Мадагаскаре есть дерево. Оно — живое. Если проколоть ножом его черенок, потечёт вода. Только не простая, а живая. Дерево-то живое, значит, и вода тоже. Пьют люди эту воду и желают друг другу долгих весёлых лет жизни. Да и в самом деле — жить на этом красивом острове надо обязательно долго.

У моря и в долинах люди живут в зелёных домиках. У домиков длинные-длинные ножки. Домики чем-то похожи на цапель. Но, конечно, ходить домики не умеют. И всё-таки ножки недаром. Когда много дождей, домики на ходулях не заливает. Вот. Это в долинах.

Люди в горах живут в каменных домах. У каменных домов нет ножек. Незачем. Будут ножки, уйдут домики в долины. А людям нравится жить в горах, где свежий ветер. Там, в горах, где свежий ветер, столица Мадагаскара — Тананариве. Тананариве — значит город тысячи деревень.

Тананариве — красивый город, а каждую пятницу здесь большой день — большой базар. И даже не базар, а выставка. Это потому, что здесь всё самое вкусное и красивое: вкусные, красивые фрукты, вкусные, красивые овощи, и есть даже совсем редкие растения, которые сильно пахнут. Например, ваниль. Называют её красиво, и пахнет она вкусно. На Мадагаскаре больше всего в мире ванили.

Да, остров богат, а люди здесь всегда жили бедно. И перец, и ваниль, и бананы — всё было у богатых французов. У белых колонизаторов земли было в 20—30 раз больше, чем у любого мальгаша. Так называют мадагаскарцев. Первые французы пришли сюда 300 с лишним лет назад. Тогда, в 1674 году, мальгаши прогнали незваных гостей. Но через 200 лет они явились снова. В 1895 году Мадагаскар стал французской колонией. Всё стало принадлежать французам.

В ту пору мальгаши говорили:

— Плохо растёт рис в поле, зато хорошо растут налоги. Легки и пусты плоды на наших деревьях, зато тяжелы налоги.

Да, тяжёлая жизнь была раньше на этом красивом острове. Каждый третий малыш умирал здесь, не дожив до двух лет. Если теперь подсчитать, сколько детей умерло на Мадагаскаре, это будет число жителей целой страны, страны, где весной расцветают деревья, летом поют птицы, а осенью плачут синие и жёлтые дожди. Нет цветов, нет птиц, и синих и жёлтых дождей нет тоже. Их некому слушать, некому видеть. Ещё в древности говорили: если детям плохо — плохо всей стране. Дети — будущее страны. При колонизаторах у мадагаскарцев не было будущего.

Долгие годы шла борьба за независимость, и в 1960 году мадагаскарцы победили. На главной площади Независимости стоит обелиск Независимости. На нём слова — «Единство, Братство, Равенство». Это очень хорошие слова.

Гана

Барабан — любимый инструмент жителей Ганы. В Гане часто бьют барабаны. Они или маленькие, или большие — с тебя ростом. Тогда их носят вдвоём.

Барабаны в Гане говорящие, и без них не проходит ни один праздник. Эти барабаны поют песни, рассказывают сказки, читают стихи. Как это у них получается? Очень просто... Соберутся жители на праздник, возьмёт кто-нибудь в руки барабан и простучит сказку — дум-дум... Слушают все и понимают, о чём это дум-дум. О грустном или весёлом, серьёзном или смешном.

А ещё бывает так: в одной деревне у весёлого африканца родился красивый сын. И сейчас же — дум-дум — простучал барабан. В другой деревне тоже дум-дум — второй барабан. А в третьей — третий дум-дум. Так вся Гана узнаёт эту новость.

Но почему всё время барабаны? — спросишь ты.

...Это было давно-давно. Так давно, что уже мало кто и помнит. Жёлтый песок, яркое, как апельсин, жаркое солнце... А к вечеру оно похоже на большой, очень красный помидор. Ночью нет солнца. Тогда в пустыне холодно. И воют шакалы, и плачут гиены.

— Дон-дин-дон! — звенят колокольчики.

Это бредут караваны. День. Два. Три. Месяц целый. Потом второй месяц бредут они по пустыне. Нет воды, а ночами холодно и страшно. И воют гиены, и плачут шакалы. На верблюдах тюки. Там каменная соль, посуда. Караван идёт в далёкую Гану.

— Золотая моя Гана, — поёт погонщик.

Гана — это страна золота. Говорили, там всё золотое, даже крыши, а царь этой страны привязывает своего голубого коня к огромному куску золота, который не поднять никому. За стены Ганы никого не пускали. Чужестранные купцы торговали так. Клали у стен мешки с товарами. Приходили ганские купцы и клали мешочки с золотом. А потом караван уходил обратно.

— Дон-дон-динь! — звенели золотые колокольчики.

Все знали — из золотой страны Ганы идёт караван.

Так было давно. Это давно, которое плохо помнят. А вот что все хорошо помнят. — Несколько веков назад, в далёком 1471 году в Гану с моря пришли корабли. Это рыскали португальские пираты, искали золото. Золото и золото. Ещё они покупали и невольников. За безделушки, за зеркальце, за пуговицы.

Португальцы построили крепость. А ещё тюрьму для невольников. Отсюда на корабли грузили «чёрное дерево». Так португальцы называли невольников.

Вот тогда-то и забил барабан. Он звал к борьбе. Народ Ганы прогнал пиратов.

Но за португальцами пришли более сильные враги — англичане. Вновь забил барабан, и вновь ганские воины взялись за луки и копья. Тревогу бил барабан. И целые деревни уходили в джунгли. Долго-долго не могли англичане покорить этот храбрый народ. Почти сто лет, с 1823 года до 1901, шла борьба. Но у англичан были пушки, ружья и много другого оружия. Гану объявили английской колонией. Пятьдесят лет молчали ганские барабаны. А если говорили, то только о горе людей.

Но вот прошло пятьдесят лет. И вновь — дум-дум: забили барабаны. В марте 1957 года ганцы победили. Гана сейчас свободное государство.

Вьетнам

Когда-то я думал: трава — всегда зелёная. Вода — синяя. А теперь я узнал про чудо. Где-то там, высоко в горах, растёт трава. Она — голубая.

Далеко-далеко в море есть страна. В ней река. Называется — Красная.

Эта страна, где текут красные реки, называется Вьетнам. По-другому — страна Юга. Зима здесь не похожа на нашу зиму. Зимой там цветут белые хризантемы. Когда они отцветают, кажется, падают хлопья душистого снега. Хлоп-хлоп. Такие душистые зимы бывают только в сказках. Впрочем, многое тебе покажется тут сказкой. Хорошей и доброй.

Вон там у реки растёт красное дерево. Река красная, дерево красное. Не правда ли, как в сказке? Из красного дерева делают очень красивую мебель. Она очень крепкая. Столяры говорят — мебель из красного дерева изнутри светится. А ещё в лесу почему-то пахнет аптекой. Может быть, здесь аптека доктора Айболита? И да и нет. Нет — потому что нет ни склянок, ни банок. Да — потому что есть в этом лесу много живых лекарств. Большие камфарные деревья. Камфара — это лекарство. Большие анисовые деревья — это тоже лекарство, похожее на мяту.

Один путешественник мне говорил: я всегда думал — пиявки живут только в прудах, а здесь — в траве. И на деревьях. Удивительно!

Те, кто был во Вьетнаме, видели дынное дерево. Оно растёт возле бамбуковых хижин. Путешественники видели сандаловые деревья. Сандал долго пахнет. Сотни лет. Если из такого дерева сделать письменный стол, вечно будешь помнить о дальних тёплых странах. Об алых парусах. О красных реках.

Долгие годы, почти сто лет, боролся вьетнамский народ с колонизаторами. Долгие годы, почти сто лет, лилась рекой кровь. В девятнадцатом веке, сюда пришли французы.

За французами в 1941 году появились японцы. Потом снова французы, в 1946 году. Вначале они объявили Вьетнам независимым, а затем на берег высадились французские солдаты.

Вьетнамцы — очень красивый народ. Они очень любят цветы, красивые песни, красивые сказки. И улицы своих городов они тоже зовут красиво. В столице Вьетнама, городе Ханое, улицы названы так: Улица Шёлка, Улица Золотых Рыбок, Тупик Говорящих Птиц. Тупик Говорящих Птиц — такое название понравится каждому. Только в этом тупике люди слышали не пение птиц, а свист пуль. Весь Ханой был опутан колючей проволокой. Когда французы высадились во второй раз, вьетнамцы, жители сёл и городов, ушли в джунгли. Там, в джунглях, они построили фабрики, заводы и школы. Днём, когда в небе летали вражеские самолёты, джунгли молчали. А ночью выходили в поле крестьяне, шли на фабрику рабочие, при свете звёзд учились дети. Так жили и боролись вьетнамцы долгие годы...

Сегодня Вьетнам — свободная страна, счастливая страна...

Бирма

Где живут слоны? В Индии? Верно. В Африке? Правильно. А ещё в далёкой стране Бирме.

Все люди этой страны называют себя бирманцами. Бирманцы — добрый, весёлый народ. А одеты они необычно. У всех юбки. У мальчиков и у девочек.

Страна Бирма лежит у моря. С моря приходят дожди. В Бирме есть горы. С гор текут холодные реки. Самая большая река Бирмы — Иравади. По преданию эту реку подарил людям бог дождей.

У бога дождей был любимый слон. Говорят, он простудился. Вот откуда Иравади — хобот слона. Из хобота течёт река.

А кроме рек, в Бирме есть ещё и озёра. Маленькие, которые получаются от наводнения. И большие, которые есть всегда...

На большом озере Инле живут рыбаки. Лодки у них странные. Гребут они и руками и ногами. Раз-два-три. Получается очень быстро.

Я рассказал тебе о реках.

Я рассказал тебе об озёрах.

Сейчас я расскажу тебе о деревьях, о цветах, о животных Бирмы.

Деревьев в Бирме очень много. Учёные говорят — более двухсот пород. Самое хорошее — тиковое дерево. Червь его совсем не трогает. Когда-то давно из этого дерева построили корабль. Он плавал по морям целых 120 лет. Не всякий даже железный пароход может прожить так долго.

Кроме тикового дерева, растут в Бирме и другие интересные деревья: хлебное дерево, манговое, веерная пальма.

Из плодов мангового дерева бирманцы приготавливают соус. Из веерной пальмы делают сок. Соус очень вкусный. Пальмовый сок — тоже. Но самое вкусное в Бирме — мандарины.

Это про вкусное. А теперь про красивое.

В Бирме самые красивые птицы. В древности на флаге бирманского государства обязательно вышивали танцующего павлина. До сих пор бирманцы считают: павлин приносит счастье. Если ты хочешь написать человеку доброе письмо, напиши его пером павлина. Человек будет счастлив.

Павлины, конечно, живут в лесах.

Можно не ходить в лес — всё равно узнаешь, кто там живёт. На бирманских автобусах вместо номеров — слоны, носороги, птицы. По этим знакам и узнают, куда идёт автобус.

Бирма — страна золотых пагод. На верху пагоды купол. Он покрыт драгоценными камнями. Когда восходит солнце, маковки блестят. И над маковками высоко в небе плывут облака. В Бирме все облака почему-то похожи на белых слонов. Впрочем, тому никто не удивляется. Издавна жили в Бирме редкие белые слоны. Даже война такая была — «Белого слона».

Главный город Бирмы, её столица, называется Рангун. По-бирмански — Янгон. А это значит — конец вражде. Но в этой стране, где города с такими мирными названиями, долго-долго не было мира. Три раза приходили сюда англичане — в 1826, 1852, 1885 годах.

В те времена у бирманцев были свои книги, школы, мастерские. В мастерских плавили металл и чеканили монету. Ничего этого при англичанах не стало, даже пуговицы в Бирму привозили из-за границы. Страна нищала.

В 1948 году бирманцы совсем прогнали англичан. Бирма — миролюбивая страна. Долгие годы борьбы научили бирманцев ненавидеть войну...

Индонезия

Индонезия — страна островов. В ней десять тысяч островов и ещё тысяча девятнадцать вулканов. Вулкан — это гора, которая иногда дымит. Индонезийцы шутят: у нас в стране потому тепло, что много вулканов. Конечно, не потому здесь тепло, что вулканы. Здесь много солнца. С моря дует тёплый ветер. Часто ветер приносит тучи, тогда идёт весёлый дождь. Шумный и синий. Про такой дождь говорят — ливень. Красиво! Наверно, утром, на заре это слово лепечут цветы — ли-ве-нь.

В Африке живут чёрные люди, в Японии — жёлтые, а индонезийцы ни жёлтые, ни чёрные, а шоколадные. Такой у них цвет кожи. Конечно, хорошо жить в такой стране, где вокруг море, где всё время солнце, весёлый дождь и шоколадные люди. Да, да, совсем, как в сказке. Помню, я когда-то читал сказку об одной интересной стране. В этой стране росли чудные деревья: шляпное дерево — на нём были шляпы, галошное дерево — на нём галоши, а рядом хлебное дерево, тут свежие калачи и булки.

В Индонезии всё это есть. Есть дерево, где галоши. Есть дерево, где плащи. И дерево с калачами и булками. Правда, они не растут прямо на деревьях, но зато из каучукового дерева, из его сока, делают резину, а из неё — плащи, галоши, обувь. А из плодов хлебного дерева приготовляют муку.

Птиц в Индонезии тоже очень много. Есть тут Жар-птица. Помнишь, когда-то за ней Иванушка ходил за тридевять земель. Наверное, он ходил сюда. Жар-птица — это фазан и павлин. Недаром есть такая легенда. Когда павлин умирает, он улетает в страну, где садится солнце. Тогда в небе загорается радуга. Это след его крыльев.

В лесах Индонезии никогда не бывает тихо. Слышно, как кто-то трубит. Слон... Хрюкает. Это кабан... А вот кто-то прошёл тяжёлый и оставил большие следы на тропе. Носорог... Носорог — очень редкое животное. Когда-то было много носорогов на свете, а теперь они почти все вымерли.

Давным-давно люди верили, что носорог — священное животное. Говорили, если из рога носорога выпить вина или просто воды, то будешь жить долго-долго.

Тогда аптекари на вывесках своих аптек обязательно рисовали носорога.

Когда впервые узнали об Индонезии? Точно не знаю, а приблизительно могу сказать. В то время, когда на столах у нас появился перец. В те времена перец рос только в тёплых странах, и его было очень мало. Он очень ценился. Перцем уплачивали дань, перцем рассчитывались с долгами, а про человека, который богат, говорили: да он целый мешок перца! Всё это недаром. Перец рос на южных островах, в Индонезии. Чтобы привезти его, например, в Испанию, нужно было очень много времени — два года, не меньше. В пути на купцов нападали пираты, а каждый государь брал с этого перца налог. Вот потому он так дорого и стоил. Перцем торговали несколько купцов: купцы с южных островов, индийские купцы, африканские и лишь потом итальянские и немецкие.

Португальцы, которые в то время были хорошими мореплавателями, решили сами захватить эти острова Индонезии, где растут такие дорогие вещи. Они приплыли на больших кораблях. И привезли с собой солдат и пушки. Так впервые белые люди покорили Индонезию. Ради чего? Ради золота. Ради перца, гвоздики и пряностей.

Потом за португальцами пришли голландцы. За чем? За сахаром. В Индонезии растёт сахарный тростник. Ещё семьдесят лет назад сахар делали только из тростника. Во всех странах тогда были лавки колониальных товаров. Голландские купцы продавали индонезийский сахар. Затем они стали разводить каучуковые деревья, какао, кофе. Но индонезийцы всё равно были бедны, всем владели голландцы. Даже в школах индонезийских детей обучали на голландском языке. 350 лет колонизаторы угнетали народ Индонезии. Индонезия стала независимой республикой в 1945 году.

* * *

Раньше, когда я был маленьким, мне очень не нравилось, если книжки кончались. Теперь я большой, и мне всё равно это не нравится.

И эта книжка, которую я написал, совсем не кончилась. Зачем хорошему кончаться? Пусть лучше всё хорошее начинается.

Мы начали с тобой хорошее путешествие. Дальше ты можешь ехать или плыть сам, без моей помощи. Возьмёшь марку какой-нибудь страны, прочитаешь книжку и поплывёшь в далёкую страну. Ведь марка — твой билет, она расскажет тебе о любой стране. Ты узнаешь о деревьях этой страны, о животных. Узнаешь о том, как живут люди. Счастливого пути тебе!

СКАЗКИ
О МОЁМ
И ТВОЁМ
ДЕТСТВЕ

ИГРУШЕЧНИК, ГДЕ ТЫ?

Во всех сказках есть драгоценные слова. Они расколдовывают волшебные двери.

Когда-то давно у нас по дворам часто ходили всякие удивительные люди. Фокусники, акробаты, шарманщики.

Но больше всех мы любили игрушечника.

У игрушечника был пёстрый домик на колёсиках, а в нём, в нём целое царство: пятнистые свистульки, картонные птички, шарики, пугачи и... розы.

Розы? Нет, вначале — это бумажка, собранная гармошкой. Но лишь вы её развернули — и раскроется тяжёлый и пышный бутон.

И представьте, чудо почти ничего не стоило: его можно было получить за старую галошу или рваный башмак.

Будь я королём или императором, не пожалел бы за игрушечный дом весь свой императорский гардероб. Но, увы. Игрушечник никогда не брал ничего другого. Только рваные башмаки. Поневоле приходилось ждать, когда твоя обувь износится.

И вот однажды мои башмаки, наконец, развалились. Во сне я видел себя богатым. Но игрушечник, игрушечник вдруг не пришёл.

И я решил тогда найти его сам. Ходил из двора во двор и, подражая его голосу, пел. Пел:

— Кому старые рваные ботинки?

Но тот, единственный, кому они были нужны, так и не вышел.

С той поры миновали годы. Люди в нашем городе стали жить лучше. Но игрушечники совсем исчезли. И лишь как память об этом, стоял где-то в углу старенький детский башмачок.

Как-то раз я поехал в незнакомую страну.

Маленькая страна эта вся жила на островах. Каналы, каналы прошивали её всюду. А над каналами вились, тянулись кружевные мосты. Я прошёл по одному... А к вечеру я встретил мастера, который строил мост.

— Простите, но как, каким чудом вы строите ваши мосты?

— Очень просто, — просто сказал мастер. — Я их рисую на бумаге, потом вырезаю и складываю, потом развёртываю её, как гармошку, и...

И тут я вспомнил: ведь старые розы игрушечника, если их растянуть... Да, они были бы похожи на эти кружевные мосты.

На этом и конец.

У меня нет больше старого детского башмачка. Есть только воспоминание о детстве, ибо только в детстве можно купить целое, целое царство за один старенький, рваный башмак.

ФОНАРЩИК

В Новый год, когда зажигаются трепетные свечи, я всякий раз вспоминаю старинные фонари.

На улицах, на площадях стояли они, похожие на кованые сундучки с секретами. И каждый вечер их зажигали таинственные люди — фонарщики.

А выглядели фонарщики так: на голове цилиндр, а в руке факел.

Один такой фонарщик жил и в нашем старинном городе. Помню, раздувая усы, он часто бормотал: «Нет ничего прекраснее фонарей. Когда они зажигаются, кажется, расцветают маки, и хочется смеяться...»

Это, конечно, так, но каждому цветку своё время. Появилось электричество, и старинные фонари угасли. Что осталось старому фонарщику? Только грустить. Каждый вечер ходил он с факелом по городу и всё искал, искал хотя бы единственный старый фонарь. Но, увы, старых фонарей не было. Злые люди говорили: «Ненужный старик, ищет вчерашний день».

И вот однажды фонарщик встретил мальчика. Раньше он не встречал детей, потому что зажигал свои фонари поздним вечером, а по вечерам все дети спят. Но тут случилось так, что один мальчик почему-то забыл уснуть.

— Добрый вечер, дедушка, какой вы странный. Кто вы?

— Когда-то, — объяснил фонарщик, — я зажигал старинные фонари. Ну а теперь... Теперь я лишь ненужный старик.

— Не может быть! — закричал мальчик. — Все люди нужны, если они добрые.

На другой день мальчик рассказал своим друзьям о фонарщике, а они рассказали своим друзьям. И вскоре дети всего города знали уже о нём и решили ему помочь.

На чердаках, в подвалах — всюду отыскивали они старинные фонари. А в ночь под Новый год развесили эти фонари на деревьях в своём детском парке. Пришёл фонарщик и зажёг все старинные фонари. Весь парк сразу стал похож на далёкую сказку.

А в эту сказку откуда-то стали являться все, кому злые люди сказали: «Ненужные старики». Пришли трубочист, шарманщик, кучер. Шарманщик играл, а кучер бесплатно катал всех в своей старинной карете.

Стоит ли говорить, что дети были довольны. А взрослые? Умные взрослые тоже приходили сюда. Приходили, чтобы вспомнить детство.

Ну вот, пожалуй, и всё. Ни фонарщика, ни кучера, ни шарманщика уже никогда больше никто не называл ненужными стариками. Не правда ли, прекрасно? Прекрасно то, что теперь не надо бояться старости.

МУШКЕТЁРЫ

О чём эта сказка? О старинном оружии. О мушкетах.

Мушкет — значит ружьё.

Но почему же оно так звалось — мушкет?

А дело в том, что из мушкета стреляли мух. Только мух.

Раньше-то мухи были большие. С целую корову. И они не просто летали, а мычали при этом: «Мууу-у-у!»

И как ни затыкали люди уши, всё равно это противное мычание не давало им покоя.

Вели, например, дамы какую-нибудь изящную беседу о цветах, танцах, и вдруг:

— М-у-у-у-у-у-у!..

В таком случае человек и хватал мушкет:

— Бах-бабах! Бах-бабах!

Но все, конечно, стрелять не умели.

Нужно было учиться, и для этой цели в городе и была устроена мушкетёрная рота. Весь день мушкетёры бегали по городу и стреляли мух:

— Бах-бабах! Бабах, бах!

За мух-то им и давали ордена. Ведь

стрелять мух, конечно, нелегко было. Требовалось истинное мужество.

Например, чтобы стать настоящим мушкетёром, надо было хлопнуть тысячу мух. Ты-ся-чу. Представляете?

Вот почему все мушкетёры к концу жизни глохли. Да. Вот мой дедушка был мушкетёром. А я до сих пор плохо слышу.

Чтобы разбудить меня утром, мне ставят под ухо маленькую пушку.

— Бах-бабах! Иди в школу!

— Бах-бабах!

А я не просыпаюсь. И всюду опаздываю.

ЗОЛОТАЯ ТРУБА

Когда-то давным-давно жил на свете кузнец. И не просто кузнец, а кузнец — золотые руки.

Кузнец этот мог чинить не только кареты, плуги...

Из железа, простого железа, старый мастер мог сделать кружевные ворота. Такие ворота казались лёгкими-лёгкими. Стоило подуть, и они открывались.

А ещё кузнечный мастер умел делать

цветы. Лепестки, волоски, усики — всё было как настоящее.

А однажды одному королю он выковал целый сад. Там были деревья и цветы.

Качались серебряные птицы, летали золотые бабочки. А среди сада росла большая клумба вечных цветов. Да, да, вечных, ибо они никогда не отцветали, ни осенью, ни зимой. И лишь тихонечко звенели: «дин-дон», «дин-дон».

И придворные, и сам король часто приходили в сад, чтобы слушать музыку цветов.

Но больше всех, но чаще всех, сюда являлся маленький принц. Вместо того, чтобы учиться придворному этикету, командовать парадом, принимать гостей или восседать на троне, вместо этого принц всё лето проводил в лугах и всю осень и зиму в том серебряном саду.

Король возмущался.

— Конечно, — вздыхал он, — и я люблю цветы. Но нельзя же их любить так. Нельзя весь день проводить на лугах и в саду. Что вырастет из моего сына? Бездельник. Он же ничего не умеет.

И призвал король наследника.

— Скажи, сын мой, кем бы ты хотел быть? Королём?

— Нет, — сказал мальчик, — музыкантом. Я бы рассказал людям о шуме ветра, дождей, о лепете серебряного сада.

— Что же, — сказал король, — посмотрим. — И приказал принести музыкальные инструменты.

Но ни один инструмент не понравился мальчику.

— Нет, нет, — сказал он, — я хочу что-то живое, чтобы походило оно на дерево, на цветок.

И тут привели кузнечного мастера. Того самого, что сделал кружевные ворота и серебряный сад.

Долго думал мастер. Трогал цветы и гладил их лепестки. Так и ушёл, ничего не сказав.

А на другой день, в большой коробке, перевязанной лентой, принесли мальчику подарок мастера.

Ты, конечно, догадался: там была труба. Но взгляни внимательней, так, как смотрел на неё впервые принц, и ты поймёшь: труба золотая похожа на цветок, на большой бутон цветка.

Впрочем, так и сказали об этом бабочки, когда принц вышел в поле:

— Смотрите, большой цветок. Смотрите, смотрите, цветок поёт!

А принц счастливо улыбался. Он любил деревья, любил цветы. И ему было радостно, что он играет на таком, самом живом инструменте.

Вот и вся история.

Вскоре маленький принц стал знаменитым музыкантом страны.

А потом прошли годы, и всё забылось.

Теперь я вновь напомнил эту историю и всё лишь потому, что золотая труба в оркестре действительно похожа на большой поющий цветок. На золотую розу.

ВЕЛИКОЕ МОЛЧАНИЕ

Шумно и весело было в весеннем лесу. И вдруг всё смолкло.

Стало тихо-тихо. Так тихо, что дятел, сидевший на сосне, вдруг сказал: «Я слышу, как облака плывут в небе».

Но проплыло облачко, и наступила уже совсем полнейшая тишина. Все сидели молча и ждали чего-то.

И только один маленький Мишутка никак не мог успокоиться. Он всё спрашивал:

— Почему молчат? Чего ждёте, звери?

— Это тайна, — сказал ему зайчик и махнул ушком, — не мешай.

— Да, — кивнул жучок-рогачок. — Большая тайна. Подними нос кверху, смотри и слушай.

Очень хотелось Мишутке узнать великую тайну. Потому он и в самом деле поднял нос и всё смотрел и слушал.

Пролетела мимо оса.

— Это ты тайна? — крикнул ей медвежонок.

— Нет, — сказала оса, — к сожалению, я не тайна.

Прошёл мимо жеребёнок. И его остановил Мишутка.

— Может быть, ты тайна?

— Нет, — сказал жеребёнок. — Какая же я тайна, каждый знает, что я жеребёнок.

А Мишутка всё смотрел и ждал. Звёзды зажглись в небе. А тайна всё не приходила.

— Да, — зевнул медвежонок, — обманули меня. И никакой тайны и нет вовсе.

Но только сказал он эти слова, как взошло солнышко и дятел на дереве крикнул:

— Смотри!

И тут будто кто-то разбил большой серебряный шар. Нежный звон прокатился по лесу, а затем все увидели — на дереве появился лист.

— Первый лист, — запели птицы.

— Первый лист, — закричали зайцы.

— Первый лист, — заворчал жучок.

А медвежонок улыбнулся. Он понял великую тайну леса. Когда рождается первый лист, все молчат. Потом он увидел и другое: осенью этот лист тоже облетит первым и тогда вновь наступит великое молчание.

ЛИСТ

Эта история про один красивый тополиный лист.

Лист этот рос на самой верхушке тополя. Белые, похожие на корабли облака проплывали над ним. И у каждого корабля лист спрашивал:

— Куда плывёте?

— В далёкие страны, — отвечали облака.

— В далёкие страны... — повторял листок и грустно махал им вслед.

Ему тоже очень хотелось плыть и лететь куда-то. Но как полетишь? Листья не умеют летать. Только осенью они опадают. И будто большие ладони закрывают глаза озёр.

И вот в один их осенних дней пришла очередь и нашему листу упасть с дерева.

— Нет, — залепетал он, — добрые птицы, я укрывал вас от дождя и ветра, возьмите меня с собой в далёкие тёплые страны.

— Что ж, — сказала одна из птичек, — мы ещё никогда не брали с собой в путь листья. Можно попробовать. Будем нести его по очереди.

И птицы понесли лист.

Днём он летел вместе с птицами. И приветливо махал белым облакам. А ночью, когда птицы опускались отдыхать, он тоже отдыхал где-нибудь на крыше. Однажды он даже укрыл от дождя улитку. И она очень просила его остаться. Но листок лишь только вздохнул:

— Нет, дорогая улитка. У меня есть мечта: тёплые далёкие страны. Прощай!

Улитка даже всплакнула и на рожках заблестели капельки. Но листок всё равно полетел. Разве какие-нибудь слёзы удержат путешественника, если у него есть мечта.

А далёкие тёплые страны были всё ближе и ближе. И тут всякий раз случались неприятности. В тех краях, где они летели, ещё не наступила осень, и каждое утро, когда листок просыпался на какой-нибудь крыше, обязательно кто-нибудь говорил: неужели так рано пришла осень? Неужели в нашем саду опадают листья?

Опадают листья, опадают листья. Никто не радовался этому. И листку было очень печально. Ведь в каждый город он приносил грусть.

— И зачем только я прилетел, — вздыхал листок.

Но птицы его успокаивали:

— Скоро... скоро... осенний листок. Скоро тёплые края.

И вот однажды, как всегда, листок опустился на крышу. На крыше сидел мальчик и запускал змея. Вначале он не заметил листик. А потом вдруг заметил и удивился.

— Золотой лист, золотой лист, — закричал он. — Откуда ты?

— Я, — ответил листик, — из той страны, где теперь все листья золотые.

— О, — сказал мальчик. — Значит, ты из сказки. В нашей стране все листья вечнозелёные.

Да, ведь мальчик жил в тёплой стране, и он не знал совсем, что такое осень.

Ну вот и всё. С той поры прошло много лет. Тот мальчик вырос и•объехал много стран. Узнал весну и осень, а тот осенний листок до сих пор лежит в его книжке.

ПРЯНИЧНЫЙ ГОРОД

А ты знаешь, в старину были пряничные города. Там пекли пряники. Зачем? А вот послушай.

Жил когда-то в таком пряничном городе один паренёк. Хороший был, весёлый. Одно плохо: не хотел грамоту учить. Купит мать ему книгу. А он из неё птичек-синичек наделает. Фвить. По двору гоняет.

И так ни одной буковки и не знал.

Кто только учить его ни пробовал. Отставной солдат даже. Чуть что, солдат его под ружьё ставил. Только вместо ружья сосновое полено давал.

Не помогало и полено.

И матушка паренька совсем отчаялась.

Если бы не городской столяр. Узнал он про такое дело и говорит:

— Не горюй, матушка. Научу я твоего сына грамоте.

— Да где тебе научить. Солдат строгий, и тот не смог.

— Ничего, попробуем.

Вернулся столяр домой, напилил доще-

299

чек и на дощечках узорные буковки нарезал. Нарезал он буковки и жене говорит:

— Ставь тесто.

Поставила она сдобное тесто. На то тесто и наложил столяр дощечки.

Узорные буковки отпечатались в тесте, а когда тесто из печи достали, вышли печатные пряники! На одном прянике — одна буковка, на другом — другая. А на третьем — слово целое. Как такую грамоту не учить. За неделю парень всё и выучил. Ты скажешь, это сказка. Нет, правда. Уже в старину и правда пекли печатные пряники детям, чтобы легче учиться. И конечно, то была самая вкусная грамота на свете.

МОЙ ПРЕКРАСНЫЙ ПОНИ

Когда-то давным-давно в одном зоопарке жил пони, и не просто пони, а мой прекрасный пони.

Вы спросите, почему прекрасный... Ах, почему?

Ну, во-первых, он всех, всех, всех катал.

Во-вторых... С ним всегда происходили какие-то удивительные истории. И каждая история... Да, каждая история кончалась чем-то таким... таким необычным, что, по-моему, за это его прозвали так.

Впрочем, послушайте сами эти удивительные истории о прекрасном пони.

Первая история

Итак, как вы помните, маленький пони всех катал. Однако коли всех катаешь, всё равно рано или поздно, а захочется прокатиться и самому. Вот так-то...

И с тем пони случилось то же. Как-то утром он сам открыл тяжёлую дверь зоопарка и весело насвистывая, подошёл к трамваю.

— Поехали, милый трамвайчик, пожалуйста.

Но едва пони сделал первый шаг, едва поднял ногу: цок... Его тут же заметил кто-то и, счастливо воздохнув, сказал:

— Ах, и зачем мне ехать на трамвае, если рядом есть прекрасный пони.

Пришлось сбежать.

Затем пони пришёл на вокзал. Может быть, там повезёт.

Увы... Едва опять маленький пони сделал первый шаг: цооок... Как его вновь кто-то приметил и счастливо вздохнув сказал:

— Ах, и зачем ехать в поезде, если рядом есть прекрасный пони.

И снова... пришлось бежать.

Теперь пони на аэродром прицокал. Ведь, что ни говори, а там самолёт голубой-голубой.

И всё-таки, какая разница: голубой самолёт или розовый, если рядом есть живой пони. И все, как и прежде, потянулись поотяянуулись к нему:

— Можно прокатиться? А... Ведь ты такой живой, прекрасный.

Да, кивнул пони. Быть может и прекрасный.

Вторая история

А знаешь ли ты, где жил прекрасный пони? В саду, на лавочке. Да, да... На самой простой садовой лавочке. Важные звери из зоопарка не мало удивлялись тому и часто спрашивали:

— А тебе не стыдно так жить?

— Нет.

— Но построил хотя бы крышу над головой.

— А зачем?

Сердились спрашивающие:

— Ведь каждому из нас в жизни нужно что-то: хомут, ленточка, подкова. А что же нужно тебе?

— Ах, мне? — тут маленький пони раздумчиво стучал копытцами и не торопясь отвечал: — Мне, мне нужно просто быть очень, очень кому-то нужным. А если я никому не нужен, то зачем мне всё. Поняли?

— О, да, да, — кивнули все. Совсем понятно. Если ты будешь нужен кому-то, тот, конечно, укроет тебя.

Пони только улыбнулся. Это уже будет крыша не над головой, а прекрасная крыша над моим сердцем.

Третья история

Ну, как известно, все серьёзные лошади летом косят луг. А вот маленький пони никогда не косил.

— Там цветы и мне их жалко, — говорил пони.

— Однако, однако, — сердились лошади, — ты хоть и маленькая, а всё-таки лошадь.

— Хорошо, — кивнул пони и стал тоже косить... Косить дождь. Да тот самый весёлый, летний дождь. И так-то было радостно... Уф.

Только серьёзные лошади опять сказали:

— А что это ещё за глупость? Если косить цветы, будет сено. Ну а дождь? Зачем?

— Если косить дождь, будет озеро. А в озере небо. Вот.

— Ну что «вот»?

— Вот я и говорю, — тихо добавил пони. — Если я когда-нибудь заплачу, то посмотрюсь в то озеро. А там, там по моему лицу проплывёт облако и утрёт мои глупые слёзы. Разве это плохо, лошади.

— Ну, разумеется, нет, — кивнули в ответ все и посмотрели в небо.

Там как раз плыли облака. Глядя на них, каждый сказал себе:

«И сколько раз я в жизни плакал, а ведь ни разу высокие облака не вытирали моих глупых слёз. Наверное, это так легко, легко и так... Да прекрасно».

Четвёртая история

А слышал ли ты вот эту историю? Помнится, был такой ветреный день. Всё шаталось, всё качалось, уу... уу...

Ну, а маленький пони, маленький пони весь день ходил по ветреному зоопарку и почему-то размахивал шляпой: фьють, фьють...

— Что с тобой? И чего ты так размахался? Ведь бабочек сегодня нет, — сказал ему разумно сторож.

— Знаю, — улыбнулся пони. — Да только я совсем не из-за бабочек. Просто завтра уплывает мой лучший друг.

— Так и маши завтра. Зачем же сегодня, — повторил разумный сторож.

А неразумный пони вздохнул:

— И ничего вы не понимаете. Если твой друг уплывает завтра, шляпой машут сегодня.

— Но зачем же? Прощаются что ли заранее?

— И совсем нет. А вдруг вы сегодня поймаете попутный ветер? Тогда ваш друг останется ещё на день. Разве не стоит ради того заранее взмахнуть шляпой, чтобы твой друг остался ещё на день?!

Пятая история

Видимо, ты уже устал слушать чуть-чуть бесконечные истории о странном пони. Но какую историю тебе рассказать последней? Наверное, вот эту.

Как-то однажды пони стал всем жаловаться:

— А знаете, во мне что-то звенит с утра.

305

— А может быть ты проглотил будильник?

— Да нет. Это что-то совсем другое...

— Всё равно. Раз не знаешь, иди к врачу.

Итак, пони пошёл к врачу.

Строгий врач посмотрел, послушал и, поправив очки, сказал:

— И правда, звените. Но почему, право, не знаю, дорогой. Подумайте, вспомните сами.

И пони ушёл домой, а через день обратно вернулся.

— Вспомнил, знаю, — сказал он. — То, что звенит во мне — луговой колокольчик.

— Какой ещё колокольчик, — нахмурился врач.

— Ну как же, — улыбнулся пони. — Когда-то я слышал его, а теперь во мне родилось эхо: — Динь-динь. Слышите, доктор? То звенит во мне ушедшее лето...

— Так значит, то эхо прошедшего, — вздохнул врач. — Ах как прекрасно. Ну дайте, дайте я ещё раз послушаю. — Тут врач закрыл глаза и склонился над пони.

Так он слушал эхо прошедшего, эхо минувшего, эхо безвозвратно ушедшего...

А пони всё стоял и думал, думал...

«Так неужели для того, чтобы тебя слушали, надо стать эхом?»

***

Ну вот и всё. Вы, наверное, скажете: «Весьма не весело». И совсем нет. Ведь говорят иногда с печалью люди: «А всё безвозвратно ушло». Нет, ничего не уходит, лишь становится эхом, чтобы жить дальше.

Вот нет давно того пони, нет зоопарка. Но есть моя сказка. И они, конечно, доброе эхо о них. И, право, дружок, это всё-таки легко и так прекрасно. Прекрасно потому, что и ты тоже никогда не умрёшь. А просто уснёшь на время, и потом проснёшься эхом в чьём-то сердце. Вот так и проснулось когда-то во мне воспоминание о пони и теперь я бесконечно рад этому. Да будь благословенна наша память, наше эхо о прошлом.

ВОЛОСЫ ПРИНЦЕССЫ

В некотором царстве, в некотором государстве, или просто в какой-то стране, жил-был один мальчик. И не просто мальчик. Дело в том, что он хотел стать музыкантом. И отец и его братья, все на чём-то играли. У отца была любимая шарманка, а у брата труба. Только у мальчика никакого инструмента не было.

— Сын мой, — говорил отец. — Ты должен сделать его сам. И твой брат и я так и поступили в своё время.

— Но, какой же инструмент мне нужен?! — восклицал мальчик.

— Мне не очень нравится шарманка и не очень нравится труба. Я люблю слушать, как поёт ветер, задевая ветви берёз.

— Значит, — сказал отец, — тебе нужна скрипка.

Долго трудился мальчик, делая скрипку. И она, правда, получилась удивительной. Если поднести её ближе, можно было услышать, как она поёт. Она пела будто морская раковина.

— У твоей скрипки есть сердце, — сказал отец. — Но этого мало. Нужны ещё струны. Лишь тогда голос её сердца зазвучит громко.

Струны. Но какие бы струны не пробовал мальчик, они звучали тихо, слабо. Должно быть, не нравились скрипке. И маленький музыкант совсем отчаялся.

И вот однажды отец ему посоветовал.

— Сегодня в королевском дворце бал.

— Ступай туда, там ты увидишь настоящие королевские скрипки.

Мальчик надел шляпу с пером, и явился во дворец. Там звучала чудесная музыка. Но подойти к оркестру мальчик никак не мог. Мешали дамы и кавалеры. Они всё танцевали и танцевали.

И вдруг, в зале появилась чудесная девушка. Её волосы были золотые, как солнышко.

— Кто это? — спросил мальчик.

— О, разве вы не знаете принцессы с золотыми волосами?

— Почему же её никто не приглашает на танец?

— Да, видите ли... — стали ему объяснять.

Но мальчик не дослушал и, низко поклонившись, пригласил принцессу.

— Безумный! Что он делает? — зашептали придворные. — Ведь, если с головы принцессы упадёт хоть один золотой волос, король казнит его!

И это случилось!

— Ой, — вскричала принцесса, — мои волосы!

— Ваши волосы, — поклонился мальчик, поднял три золотых волоска, но было уже поздно; королевская стража схватила его.

На другой день мальчик предстал пород королём.

— Как ты осмелился? — сердито стукнул король жезлом. — Разве ты не знаешь, что ни один человек в королевстве не имеет права танцевать с принцессой, ибо если хоть один золотой волосок упадёт с её головы...

— Я не знал, Ваше Величество, — ответил мальчик.

— Не знал?.. — король задумался. — Коли ты не знал, — я не имею права тебя наказывать. — Но всё-таки, как быть с законом? Закон велит наказывать каждого. Золотые волосы принцессы — это такое несчастье!

И тут мальчик улыбнулся.

— Вы, говорите, несчастье? А я думаю нет. Дайте мне эти три волоска, а завтра, на балу, и вы, и королева, и все придворные будут счастливо улыбаться.

Неизвестно почему, но король поверил мальчику...

А на другой вечер на балу он действительно услышал самую прекрасную музыку на свете. Это мальчик играл на своей скрипке.

— Как тебе удалось это? — спросил король.

А мальчик только ответил:

— Три золотых волоска принцессы.

Вот и вся сказка.

Я думаю, не стоит говорить о том, что король простил мальчика и назначил первым придворным музыкантом. Ведь, если человек приносит счастье, его всегда прощают и награждают.

ШАРМАНЩИК

Давным-давно это было. Ещё лет сто лет назад все простые люди жили плохо и бедно.

Бедно жил и старый шарманщик. Единственным его богатством была старая шарманка. Вместе со своим внуком ходил он по городам. Пел и играл на шарманке старинные песенки.

И, конечно, больше всего на свете он любил свой инструмент и своего единственного внука. Как мог он баловал мальчика. Но, к сожалению, я уже тебе сказал, шарманщик был бедняк. И он немного мог сделать. Ни красивый костюм купить, ни красивую игрушку. Нет, нет, на

311

это у него просто не было денег. Только добрые ласковые слова он мог дарить мальчику, ибо их не надо было покупать. У доброго человека они всегда в сердце.

И всё-таки хочется порой сделать что-то и большее. А не только сказать «добрый мой, единственный».

Ведь так бывает всегда, когда приходят дни рождения.

День рождения мальчика был зимой.

Конечно, если бы день рождения случился летом, старик шарманщик пошёл на поляну, в сад, и нашёл бы там самую красивую розу.

Но, зимой, зимой розы цветут лишь на окнах.

Долго думал шарманщик. И наконец, вспомнил. Однажды, когда он был на юге, старик видел: люди чистили апельсин, и из апельсиновой кожицы потом делали цветы.

Апельсин? Но где бедному старику взять зимой апельсин. Слишком дорого.

И тогда, шарманщик взял, что оказалось у него под рукой. Да, да, он взял картошку. И сделал розу из картошки. Она была грязной и серой. И дарить, конечно, её было нельзя.

Но шарманщик пошёл к сапожнику и

взял у него серебряную краску. Ту самую краску, которой серебрили туфли и пряжки вельмож.

И вот, картофельная роза стала серебряной.

Ты, конечно, не видишь этого. Но послушай, как звенят её лепестки.

И наверное, в тот вечер, старик поднёс бы розу мальчику и кончилась наша сказка. Но пока мальчик гулял, картофельную серебряную розу кто-то съел.

Как горевал старый шарманщик. Как плакал мальчик.

И вдруг, что-то зазвенело. И они увидели мышку.

— Здравствуйте, — сказала мышка. — Я та самая мышка, что съела вашу серебряную розу.

— Ты поступила жестоко, — сказал шарманщик. — Что теперь я подарю внуку?

— Я знаю, — сказала мышка, — я подарю ему серебряный танец. После того, как я съела вашу розу, я сама стала серебряной. А теперь... — Тут мышка взмахнула хвостом и раздалась музыка. Да, да, то зазвенел серебряный хвостик, и под эту музыку, мышка исполнила вальс.

И с той поры они уже вчетвером бродили по городу. Старик, мальчик, шарманка и серебряная мышка. И дети самых богатых, вельмож завидовали бедному мальчику. У них были самые чудесные игрушки, но ни у кого не было живой серебряной мышки, танцующей старый вальс.

РАССКАЗЫ И ПОВЕСТЬ О ВОЙНЕ

ЭХ, ЭХ, ЭХ

Первое животное, с которым я подружился, как ни странно, была лошадь.

В семь лет однажды какая-то бешеная кобыла понесла меня, и мужики заорали с отчаянием:

— Зашибёт!

А лошадь проскакала двадцать шагов и склонилась к траве, а я беззаботно тряс вожжами.

Дед, дрожа веком, занёс над Милкой кулак и медленно распустил его, точно тугой корявый бутон.

Трепетные пальцы осторожно коснулись морды лошади, и она, кося́сь на мужиков и на деда, насмешливо заржала.

Вот с той поры я и думаю: лошадь одно из самых добрых и насмешливых существ.

Я, разумеется, не истинный лошадник, но всё моё детство и юность прошли рядом с лошадью.

Дед мой был колхозный конюх, и я то-же дневал и ночевал на конюшне.

А если строгий старик вдруг сердился и прогонял меня с конного двора, я всё равно не отставал от того деда. Тогда я превращал в лошадь любую скамейку, любой стул. А вскоре все стулья стали потихоньку и нетерпеливо погромыхивать ножками. И бабушка всякий раз, садясь на них, испуганно вскрикивала и мчалась вдаль, как кавалерийская Дурова. А я, отбивая свой узенький, как чайный поднос зад, трясся за ней. И, блестя киверами, зеркальными палашами, целый эскадрон спешил за бабушкой. Неслись, неслись, а потом слезали со своих деревянных коней счастливые и улыбались друг другу. И всё-таки лучше всего было скакать в поле по утренним и вечерним лугам. В тот час звук копыт особенно звонок и светлым громом катится окрест.

Но более всего я любил ездить с дедом зимой по сено. Заиндевелая Милка бежит средь притихших равнин и толкает тёплой мордой заходящее солнце, а оно прячется за лес, и последние лучи его похожи на большие лошадиные уши.

Да, в ту пору я любил лошадей. И средь всех одна была особенно мне мила.

Мальчик — вороной жеребец с цыганскими глазами. И красив он, круп точно шёлк, атлас, но характер — дьявол. Всё с норовом, да уровом.

Бывало, идёт так, тихий, смиренный. А только сядешь, как каменная балда, ни с места. В таких случаях я всегда давал ему хлебца. А он и тут окручивал. Проглотит хлебец, головой мотнёт, давай мол, садись, малыш. А сам проедет чуть-чуть и сбросит. Да смеётся, стоит себе, нижняя губа так вздрагивает, вздрагивает, будто он рассмеяться хочет. Вот какая лошадь была.

И сколько я ни старался, ни приручал упрямую животину — один шут. Он всегда гнул только свою линию. И наверное, со временем я бы совсем отстал от него.

Да дед мой поглядел однажды, как я вожусь с Мальчиком и языком прищёлкнул.

— Ну вот тебе и наказание. Характер того у него, точь-в-точь, как у вашей милости. И рад бы сделать хорошее, да не может. Чёртик в нём, значит, такой.

И дед показал нам рожки.

А я вспомнил о своём чёртике и пожалел Мальчика. Я даже обнял его за шею. Ну, разве мы виноваты? Просто у нас такие нескладные характеры.

И с той поры, хотя мы и ссорились, но всё-таки дружили. Правда, он по-прежнему сбрасывал и сбивал меня хвостом, точно надоевшую муху. Но, как ни странно, теперь он делал это более вежливо и изящно. Ни разу я не упал на лугу, ни в поле. Пред самой конюшней, там, где толстый пшеничный песок.

— Вот туда я летел с лошади, а мой дед заливался дребезжащим самоварным смешком.

Но дед что? Дед родственник.

А тут вскоре прознали о том парни в селе. И стали специально собираться, чтоб на нас посмотреть. И было, конечно, обидно кувыркаться пред этой насмешливой толпой ровесников. А они ещё советовали:

— А ты, Генка, подушку возьми, так удобней.

— И чего подушку, давай кровать целую тащи.

И в первый раз после той встречи я чуть не стукнул Мальчика.

А он посмотрел на меня так удивлённо и задумчиво, что мне стало горько и стыдно.

И я, как мой дед когда-то, распустил кулак. Стал гладить лошадь, уговаривать: ничего, ничего. Я что-нибудь придумаю.

Однако придумать мне так ниче
удавалось. Мальчик по-прежнему
справиться со своим характером, а я
раньше, летел в песок, а парни прыс

А потом мне всё надоело. И одна
упав, я решил не вставать, лежать
в песке до самого окончания моей ж
жизни. Я пролежал минуту-другую
вдруг вижу: Мальчик ступил к конюш
прошёл немного и... повернул обратно
ко мне.

И тут я сразу понял, как навсегда из
бавиться от насмешек. Я встал, взял
Мальчика под уздцы и сказал людям:

— Вы что думали, я просто так падаю?

— А зачем же? — скребнул меня чей-
то осторожный голос.

— А если Мальчика в армию возьмут
и кавалериста ранят. Тогда что?

Все замолчали. И опять тот же скребу-
щийся голос коснулся меня.

— Так ты, значит, раненого кавалериста представляешь?

— Ну да. Смотри, — я вновь сел на
коня, разогнал его пошибче и уже сам
лёгким колечком скатился вниз.

Сколько прошло времени — неизвестно. Вот и летнее небо стало серым, и гу-
си по небу летят.

— Прощай, Мальчик.

Я закрыл глаза. И здесь мне в лицо потянулось что-то мокрое и тёплое... Мальчик. Он самый. Да только какой-то другой. И в лице такое выражение, словно он хотел меня отругать, сказать: ну зачем же ты меня так пугаешь?

И мы расцеловались с ним, а кругом все стали шуметь и тоже лезли целоваться к Мальчику.

И с той поры я мог падать сколько угодно, каждое падение лишь увеличивало мою славу. А вскоре слухи обо мне дошли до районной газеты и в ней напечатали заметку.

И меня даже на какой-то слёт хотели послать в июне. Но в июле пришла война, и никаких слётов уже больше не было.

Сейчас каждый день мужики брали на прокат расписную председательскую бричку и в последний раз катились по селу.

Тряслись и завивались свадебные ленты. Мужики венчались с войной. Молчало село, молчали окрестные деревни, а мы с дедом тоже молча выкатывали эту бричку, обряжали её.

А потом дед гладил бумажные цветы на ней и всякий раз вздыхал громко: «Эх, Митька, эх, Ванька!»

Вслед за мужиками чуть позже стали брать на войну и лошадей.

И дед, провожая их, вздыхал всё так же: «Эх, Милка, эх, Якорь...»

Пустело село, пустела конюшня.

И ночами пустые стойла пугали нас. А утром дед проходил по конюшне и отрывал таблички, которые когда-то он старательно писал химическим карандашом: «Лазурь», «Жёлудь», «Ветерок», «Голубчик»...

Таблички те стояли в конюшне деда, и ему жалко было их выкидывать, и он всё перебирал их, раскладывал, будто играл на этих странных картах...

А через месяц пришла повестка на Мальчика.

— Веди сам! — сказал Дед.

Я отпросился погулять с Мальчиком в последний раз. В последний раз поскакал с ним пред конюшней, а потом упал и долго смотрел на него снизу вверх.

От Мальчика шёл тёплый пар. И был он весь какой-то домашний и напоминал мне огромный добрый самовар. И наверное, оттого, что он напомнил мне что-то домашнее, стало бесконечно жаль его.

Заныло сердце, и я не спал три ночи. А потом я выпросил у деда табличку с именем «Мальчик», и вставил её в рамку и повесил на стену, где висели семейные фотографии отца и матери.

Бабка только головой качала, а я не ходил больше на конный. Боялся расплакаться. Пустые стойла были похожи на открытые могилы. В них было грустно и больно смотреть.

А лошадей всё брали и брали; дед мрачно шутил:

— Вот так, ваша милость, на коровах скоро поедем.

Впрочем, как оказалось, впоследствии, дед шутил недаром.

В тот день я сидел дома, учил историю про войны Александра Македонского. И едва лишь дошёл до военных действий в Малой Азии, как на улице зашумело. Я попятился от окошка...

Из поворота, скрипя, выползала телега, а перед ней... слоновые бивни.

Да, так мне показалось вначале, пока я всё ещё думал о Македонском. А тут слон замычал, и я наконец понял: да, это же корова, братцы!

Она запряжена в телегу, а на той телеге совсем не Александр Македонский, а мой дед Иван Михайлович Вылегжанин. Он сидит насупясь. А какая-то бабка, гля-

дя на него, крестится. А другая подбоче-
нясь, кричит бойко:

— Эй, Михалыч, смотри, зашибет!

А дед вдруг тянется за бабой, грозит
ей кнутом. А коровья повозка всё едет и
едет и упирается рогами в наш дом.

— М-у-у! — мычит дед, входя в комнату и достав заветную бутылку, которую
он берёг для какого-то великого праздника, наливает себе.

А затем он кладёт седую голову на руки, долго молчит и говорит наконец:

— Вот война, значит. Отведи-ка её, ми-
лок, я не могу больше...

Я отвёл корову на конюшню и всё думал, куда бы её поставить. Ведь в коров-
ник она не годится, хотя с рогами, а всё-
таки лошадь.

И тогда я поставил её в стойло Мальчика. И корова опять мычала, я смеялся.
Ну и скакун Орловский! А она вдруг перестала мычать и как бы задумалась.
Глаза её стали тёплыми, влажными. И я
отвернулся. Бедняга, ей бы травку щи-
пать, телят рожать, а она вот телеги во-
зит.

Где-то в отдалении заржала лошадь,
корова прислушалась и по потному крупу
её прошла дрожь.

Наверное, она тоже заржать в ответ хотела, но у неё ничего не вышло.

А я вновь ей посочувствовал и почему-то вдруг вспомнил сказку о гадком утёнке. Там в конце сказки на зеркальном озере он стал прекрасным лебедем, белоснежным видением. А что, корова — это гадкий утёнок среди лошадей. И разве когда-нибудь станет прекрасной лошадью? Ну, конечно, нет, нет. И потому я не сказал ей ничего утешительного. Я просто погладил её, как ребёнка.

Ну вот и всё.

Так кончилась эта история о лошади и корове. А после войны нам прислали трофейных лошадей. А ту буренку куда-то выбраковали. И от неё, как и от Мальчика, осталась лишь одна табличка.

И теперь эти таблички лежат у меня рядом с фотографиями людей, от которых тоже остались лишь одни имена и бесконечные таблички.

— Эх, Митька, эх, Ванька. Эх, эх...

ВЕСНА БУДЕТ ВСЕГДА

Это повесть о войне. О том, как в войну жили в одном прифронтовом городе два мальчишки. Один из них, то есть я, вёл дневник.

Конечно, не всё из этого дневника вошло в повесть. Дневник потерялся. И сейчас мне удалось вспомнить только самое яркое.

Быть может, взрослому читателю здесь что-то покажется не так. Но я ничего не хотел изменять. Именно так воспринимали войну мы, мальчишки прифронтовых городов.

Такой была наша жизнь и именно тяжёлой, трудной жизни этой я сегодня и обязан всем светом и верой в людей.

В то тяжёлое время мы, ребята тридцатого года и научились самому главному — любви к человеку.

Поэтому я и пишу о том времени, пишу только правду.

Слон

1941. Октябрь.

Была война, и нас бомбили, каждый день бомбили. А мы с Митькой думали: так и надо. Люди внизу живут, а на них сверху бомбы падают.

Впрочем к бомбам привыкнуть можно. Страшно, когда не бомбят, а когда тихо...

Но однажды Митька после одной бомбёжки грустно сказал:

— А ты знаешь: в зоопарке слона убили.

И я вспомнил: до войны когда-то я ходил в зоопарк. И мне всё говорили: посмотри, посмотри, какой большой и толстый слон. Его никто убить не может.

А вот убили. Целый день я твердил это: убили, убили. А вечером спросил:

— Митя! А где же хоронить будут? Он такой большой и толстый.

— Дурак, — сказал Митька, — неужели ты не знаешь, откуда привозят мёртвых слонов?

— Нет, — сказал я.

— С севера, — объяснил брат. — Понимаешь, их там где-то откапывают. Потом привозят в вагоне и ставят в музей.

И я себе представил. Большого мёртвого слона сложат в вагон и повезут по всей нашей России.

А там маленькие станции. И на каждой станции колокола. Колокола звенеть станут. И под звон этот придут встречать слона бабы в платочках. Охнут и скажут:

— Вот ведь война какая! В городе большого слона убили.

А потом Митька взглянул на меня и сказал:

— Не огорчайся. Лет через сто или двести обратно привезут в музей.

А я, я опять себе представил: взглянет на моего слона кто-то лет через двести и обязательно скажет:

— Ну и война была. Даже больших слонов убивали!

Тополь

Май.

До войны мне все говорили: «Ну и растёт мальчик. Просто как дерево».

А в войну мне никто не говорил этого.

Но зато так говорили про тополь, что стоял у нас во дворе. Ну и растёт. Растёт всё-таки.

И мне тоже нравилось, что наш тополь «ну и растёт».

Я всегда смотрел на него и думал: вот вырастет он совсем большой и закроет наш маленький домик. Другие дома падать станут, а наш — нет. Его сверху не видать.

Но зимой тополь всё-таки спилили. Дров не было. Осталось несколько пруточков только. Мы с Митькой их воткнули в землю, а весной они расти пошли.

Митька улыбнулся и сказал:

— Хорошо, если опять война будет. Всем дров хватит.

Вкусное кино

1942. Сентябрь.

Честно говоря, тогда в школу ходить не хотелось, но мы всё-таки ходили. А зачем ходили и сам не знаю. Наверное, из-за бубликов.

Каждый раз в большую перемену нам давали белые румяные бублики.

Смотрит на тебя этот белый бублик и улыбается.

А ты его, подлеца, в карман, чтоб не улыбался. Сидишь так и слюни глотаешь, но зато потом... Потом на рынок:

— Дяденька, тётенька! Купи. Тётенька, дяденька, возьми. Школьный, довольный...

Дяденька или тётенька возьмут и мятый рубль тебе сунут. А ты в кино.

В кино весело: солдаты в атаку идут, пушки стреляют. Только одно плохо, если вдруг на экране едят...

Тогда меня чуть-чуть тошнило. И Митьку тошнило. И всех нас всю войну от сытого кино всегда чуть-чуть тошнило.

Сахар

1942. Зима.

Очень хотелось сладкого.

Очень. Так хотелось, что ни о чём другом я просто думать не мог.

Спать лягу: о сладком думаю, встану — тоже.

Я всю обшарил комнату, хоть бы кусочек, капельку...

Но нигде ничего.

И тогда я пошёл в магазин. Магазин был пуст, только за прилавком стояла сладкая тётя. Её белый халат напоминал мне сахар.

Я посмотрел на тётю и стал моргать. Долго я так моргал. И тётя тоже моргала.

А потом она заплакала и сказала:

— Честное, честное пионерское, ничего нет, мальчик.

Нет, и не надо. Я вышел на улицу и... увидел снег, как белый халат. Опять эта белизна мне напомнила сахар.

Сахар... И нагнувшись низко, я стал есть снег горстями.

Давился, икал, но ел, ел всё-таки. Что делать, но я очень хотел почувствовать во рту хоть каплю сладкого. Капли той, конечно, не почувствовал. Но потом зато болел два месяца. И во сне мне виделись настоящие шоколадные торты.

Счастье

1942. Июнь.

Раньше я всегда считал, если звезда упадёт, счастье будет. А в войну по небу из пушек били. И звёзды падали и падали.

Они падали, а счастье не приходило. С каждым месяцем всё хуже было.

Затем с фронта люди в звёздах пришли. А им никто уже не верил. Плохо очень улыбались эти счастливые люди.

Как нас звали

1942. Июль.

До войны всё было ясно. Небо ясно, мама ясно, папа ясно. И звали нас всех тоже как-то просто и ясно.

Витька — сверху.

Борька — снизу.

А Вовка из самого подвала.

А в войну, в войну, всё кончилось.

Первый с фронта пришёл Витькин отец на костылях. И его стали звать: сын хромого.

Потом Борьку: сын безрукого.

А Вовку из самого подвала даже: сын слепого.

Но я всё равно им завидовал. Я был сын убитого, но меня никто не звал даже так. И я сам знал, нéзачем. Сейчас убитых больше всего.

Немой

1942. Август.

Враг подходил к самому городу. Но мы ни капли не боялись. Рады даже были.

— Пусть войдёт только, — орал каждый. — Сразу взорвём!

Как взрывать, мы уже знали. Нужна бутылка и бензин.

Бутылки собрали быстро. Большие такие, из-под шампанского для танков. А маленькие из-под валерьяновки — это для танкеток. Вот лишь бензина не было. И тогда Витька, сын хромого, сказал:

— Ерунда. Во дворе военная машина — слить надо горючее.

Он отрезал от резиновой клизмы длинную трубку и мы пошли сливать. Митька дул, сосал шланг и бензин узенькой струйкой журчал в наши бутылки. Наконец набежала последняя бутылка.

Витька был очень доволен, однако, с ним никто не мог стоять рядом, так от него пахло горючим.

А Витька опять сказал:

— Ерунда. Вот если теперь под танк брошусь — сразу загорится. Не верите?

— Нет, — сказали мы.

Тут Витька сунул в рот спичку и закричал:

— Аа.. аа...

Так Витька, сын хромого, стал немым.

А потом всякий раз, когда он видел бутылку, то кричал: аа.... аа... Будто, в самом деле, под танк падал.

Пони

1942. Апрель.

Когда-то у нас рядом с домом был детский городок. Что это такое вы все знаете: качели, карусели. А главное, пони.

Живой, в серых яблоках. Он нас катал по кругу, и мы с Митькой часто ходили туда.

А в войну как-то забыли и про городок, и про пони. Никогда там не были. Но раз... была оттепель, светило солнце. И мой брат Митька, взглянув в далёкое небо, вдруг сказал:

— Пошли в детский...

Так мы и пришли туда в любимое и забытое место наших игр.

Нас окружила и оглушила сразу тишина.

Ни качелей, ни каруселей. Одни галки старые. Не городок, а прямо кладбище.

Мы ещё немного прошли и тётку увидели. Она подметала круг, по которому раньше пони бегал.

— А где пони? — спросил Митька. — Пони, — косо посмотрела на нас тётка и пробормотала, — нету.

— Как нету? — спросил опять Митька.

— А так — нету, — рассердилась тётка. — Кормить нечем было. Вот и съели.

— Съели? — Митька вздохнул, глотнул воздух и куда-то отвернулся. Я не смотрел на него. Я знал: он плачет...

Люди съели пони. А он, когда они были маленькими, каждого катал.

Я вспомнил об этом и чуть не заревел тоже.

Помощники

1942. Июль.

В нашем дворе военных инвалидов было иного. Вначале они тихими были. Всё на лавочке сидели, всё на солнышко глядели.

А затем шуметь пошли. Это у нас вблизи рынок открылся. Вот они на рынок все и двинули. Что-то менять, что-то продавать стали. Наторгуют за день — вечером напьются. А как напьются, то грустные песни поют. Они поют, а их ветер качает... Как старый листок... Покачает, покачает, и в лужу бросит.

Лежат они в луже и плачут. А подойти к ним боятся. Потому что у каждого костыль. Но я подошёл и поднял. А он меня не стукнул. Рубль дал даже.

И с тех пор мы с Митькой стали часто на рынок ходить.

Как вечер придёт, так брат мой кричит:

— Пошли поднимать этих.

И мы идём. Идём и думаем: «А много ли упадёт сегодня. Много если — хорошо. А вот мало коли — тогда на хлеб и то не хватит».

Злая старуха

1942. Июль.

Жила в нашем доме одна злющая старуха. А злилась она потому: у других ноги живые, а у неё деревянные. Ходила всегда так, будто землю била. Тук, тук.

А в войну она вдруг стучать перестала. Осторожно стала ходить. Я вначале не понял, почему это. А потом догадался.

Инвалиды с фронта пришли. Им и то обрадовалась старуха. Раньше она одна была, теперь же их много.

Инвалиды тоже радовались: как никак — свой человек — хромой.

С ней одной они больше и говорили: о костылях, о ранах. Ну, а когда на рынок пошли, то и её с собой взяли.

Стала старуха торговать. Торговала, торговала, а там и пить начала. Попила немного, да и померла.

Ну а уж померла когда, все инвалиды с улицы пришли. Целый отряд хромых шёл за её гробом. На весь город, наверное, костыльная музыка тогда звучала: Тук-тук.

Но самое удивительное всё-таки мы с Митькой потом увидели. Опускали гроб и поднимались кверху костыли: один за одним.

А мы боялись: вдруг инвалиды сейчас небо проткнут.

Старый парк

1942. Сентябрь.

Недалеко от нас был госпиталь. А рядом с ним старый парк. Вечером, когда не было бомбёжки, в парке играл оркестр. Приходили раненые, приходили женщины. Они слушали музыку и иногда осторожно танцевали.

Раненые всё время были разные, а женщины одни и те же.

Одни и те же.

Однажды я посмотрел на них и подумал: кончится война, никого уже здесь не будет... А они, эти женщины, наверное, все станут приходить сюда и ждать, ждать кого-то...

Голубая девочка

1942. Осень.

В войну мне очень нравилась одна девочка. Другие какие-то все серые, а она светилась. Злотые волосы, красный бант. Ни у кого у нас в школе не было такого красного-красного банта.

Я долго мучился, а потом сказал всё-таки:

— Ты мне нравишься, ты голубая.

— Ну и что? — сказала девочка.

— Как что? — удивился я. — Вырастем, поженимся.

— Нет, — сказала девочка. — Ты мальчик. Тебя на фронте убьют...

— Нет, — сказал я. — Не убьют, а ранят.

— Всё равно, — сказала девочка. — Костылём драться будешь.

Она повернулась и уже хотела уходить. Но я испугался и крикнул:

— А я не на костылях. Я так, без рук, понимаешь?

— Понимаю, — сказала девочка. — Очень хорошо. Я тебя с ложки кормить буду.

Мясорубка

1942. Осень.

До войны отец мне не очень нравился. Он был такой толстый и все ребята его дразнили: «Толстый, жирный, поезд пассажирный!»

А в войну отец похудел сразу. Он стал высоким и весь в ремнях. Я очень им гордился. Всякий раз, когда он приезжал с фронта, я выходил во двор, и говорил каждому:

— Отец приехал, худой, с наганом.

Но в один из приездов отец вдруг сказал матери:

— Нечему радоваться. Наверное, не вернусь больше — такая там мясорубка.

— Мясорубка, — повторил я и вспомнил...

У матери когда-то палец попал туда, в мясорубку. Было больно очень.

А отцу... Ведь тоже. И страшно жалко мне стало его. И всем нам было его очень жалко.

Два месяца мы только и ждали: когда его убьют.

— Когда убьют, — говорила бабушка, — то легче.

На третий месяц пришло письмо: «Ваш муж и отец пропал без вести».

Мать и бабка заревели. А я опять, опять мясорубку вспомнил. Она большая, большая. И в ней всех крутят. Потому и без вести. Разве разберёшь чьё это — красный кровавый кусок только.

Смерть Митьки

1942. Декабрь.

До войны я всегда боялся: вот-вот умру. А когда болел, всегда думал об этом.

И ночью тоже. Ночью полотенца белые-белые.

А в войну я совсем не боялся. Только думал: а если мама, а если Митька? У них лица белые, как те полотенца ночью.

А второй зимой Митька умер всё-таки.

Долго мы его везли на кладбище. Тряслась машина. И Митькина голова тряслась тоже. А изо рта кровь тёмная.

Я вытирал кровь ватой и всё говорил:

— Наверное ему больно, больно.

И когда комья бросали, говорил:

— Больно, больно.

Потом всю весну мне хотелось разрыть Митьку, но я не разрыл всё-таки. Просто стал ходить на кладбище. Другие придут и сядут. А я всё хожу и хожу.

— И чего это мальчик ходит? — спрашивают старухи.

А потом им кто-то сказал:

— Да он сумасшедший!

Последнее письмо

Все ждали конца войны. А она не кончалась. Шла всё и шла. И каждый знал: впереди ещё много горя. Быть может, больше, чем позади.

Но проходили зимы и по-прежнему приходила весна.

Второй весной я это понял.

Несмотря на горе: весна будет всегда.

Мне хотелось рассказать про это кому-то самому близкому. Тогда я взял бумагу и написал: «Здравствуй, убитый папа. Сейчас весна. Она всегда будет.»

Я не написал на конверте обратного адреса.

Письмо ко мне не вернулось.

До сих пор мне кажется: убитый отец его получил и прочёл всё-таки.

Сейчас весна. Она всегда будет.

ПРЕКРАСНЫЕ СТРАНЫ

Я знаю и теперь мальчишки любят красивые названия: Никарагуа, Боливия, Чили, Парагвай.

И мы в детстве их тоже любили, только ещё больше.

Горе стояло у наших порогов, а красота помогала жить.

Послушайте мой рассказ о красоте и горе.

Это случилось в 1943 году в моей родной деревне. Деревня та была глухоманная. Раньше мало сюда приезжало людей, а в войну понаехало... Из Москвы, с Украины, а одна даже из какого-то неизвестного города Паланга.

Паланга. Тогда мы в шестом классе учили географию, и для меня Паланга звучало также загадочно, как Парагвай.

Потому то и поразила всех учительница из далёкого города Паланга.

Первый урок Елизавета Георгиевна объясняла алгебру, но мы все думали — вот сейчас, сейчас она положит мел и скажет: «Мальчики, Паланга в Парагвае. В Парагвае есть море и нет войны».

Однако учительница этого не сказала. Два часа она говорила «а» плюс «в», «в» плюс «с».

Потом просто кивнула и вышла:

— До свидания.

До-о-сви-да-ния: Перу и Боливия, Эквадор и Парагвай...

Учительница из Паланги оказалась самой обыкновенной. Значит, обыкновенными были и прекрасные страны. Дикая мальчишеская злость поднялась в каждом из нас. Не сговариваясь, мы решили отомстить ей.

— Ребята! — заявил после школы первый хулиган Мишка Шевырин. — А она, кажись, того...

— Точно, — подхватил его друг Витька Зуев. — Дурная. Всё пожалуйста, да пожалуйста...

— П-о-о-ж-а-л-ус-таа... — Витька встал на цыпочки и передразнил учительницу.

С той поры Елизавета Георгиевна и получила обидное имя: Поожалуйста...

Когда она вызывала к доске, то ребята обязательно кричали:

— Встань, пожалуйста!

Если ставила двойку, то снова орали:

— Получи, пожалуйста!

За такие шутки, конечно, частенько выгоняли из класса. Но крикуны только радовались.

В нашей школе зимой всё стыло: и чернила, и цветы, и даже валенки. Только в коридоре можно было согреться — побегать. И мы бегали, бегали нарочно притопывая у дверей класса. Но Елизавета Георгиевна никогда не срывалась, не плакала, только голубые глаза её темнели. К концу года они стали совсем синими.

Тогда и сказал мне Шевырин:

— А наша-то По-о-жаа-луста. Она с военруком.

Военрука Фёдора Михайловича все ребята любили. Бывший фронтовик, он был живой памятью о наших погибших отцах.

И вот она с ним. К злости прибавилась ревность.

— Пошли... — подмигнул мне однажды вечером Мишка Шевырин.

Елизавета Георгиевна жила на краю деревни в учительском домике.

Освещённый коптилками дом едва светился. Издали он был похож на дряхлого старика. Старик беспомощно моргал и щурил подслеповатые глазки.

Незаметно мы подошли близко-близко.

— Глянь! — толкнул меня в бок Мишка.

Я встал на цыпочки и взглянул в окно. Толстой стопкой на маленьком столе лежали наши сшитые из книг тетради. А рядом с ними, уронив голову на руки, плакала учительница.

И я вспомнил: так после похоронной голосила моя мать.

Невольно я протянул руку. Но тут чья-то большая рука осторожно легла на затылок женщины.

— Он, — выдохнул Мишка.

— Да... — я тоже узнал военрука.

И пока Фёдор Михайлович успокаивал учительницу, я думал о матери.

На другой день я не пошёл в школу. Весь день бродил по деревне и думал:

Что случилось у Елизаветы Георгиевны?

— Здравствуй!

— Здравствуй!

Подняв голову, я увидел Борьку, её сынишку. Шестилетний Борька долго мялся, а потом сказал и покраснел:

— А ты маму дразнил!

Я покраснел тоже.

— Ну и что, — согласился я. И, пытаясь оправдаться, ответил:

— Паланга, понимаешь... И ничего, ничего об этом не говорит...

— Ну и что? — Борька ковырнул землю и отвернулся.— Папу там убили. В море.

Бывает ли человеку до конца стыдно?! А мне в тот день было.

Борька, застыв, удивлённо смотрел на меня. А я, большой парень, шестиклассник, размазывал по щекам слёзы.

— У меня тоже отца... Прости...

— Ладно уж... — сказал Борька. — А ты больше не будешь дразнить?

— Нет.

— И Мишке скажешь?

— Скажу.

С того дня никто больше не дразнил Елизавету Георгиевну.

МАША-МАРИЯ

Падает роса. И вновь из-за реки чуть касаясь трав, плывет её лицо.

Маша, Мария. И какая тогда была белая-белая ночь в 43-ем. Подгулявшая церковь ушла за село и, обнявшись с берёзой, кружилась по лугу.

И только я не плясал, несмотря на бунтующий хмель во мне, я по-прежнему стеснялся и сидел на кончике бревна, а на другом конце его сидела ты. И мы были, как два материка, разобщённые океаном.

А потом я встал и пошёл по этому перешейку, раскачиваясь, как канатоходец. И танцующие пары замерли и, посмотрев на меня, стали гадать:

— Упадёт — не упадёт.

— Не упал — заорал Венька.

Пары вновь закружились, а я стоял и не знал, что делать.

— А вы зря, — сказала девушка, — не танцую.

И я пошёл по канату обратно.

Ну разве не так всё началось? Тогда, придя на вечёрку, я впервые решился танцевать, и... мне отказали.

Ну почему же? Ведь мне уже было шестнадцать с половиной. И по тем временам я вполне доспевший мужчина. А ещё у меня имелся бархатный кисет. И зажигалка. Котомка, кусок гранита с рашпилем. И как я стучал по нему, желая увидеть твоё лицо. Даже пальцы отбил. А ты вдруг стала дуть на них и приговаривать:

— Эх ты, глупенький, да я же старуха, мне 25.

А белая ночь всё плыла, и танцующие пары покачивались на ней большими лёгкими кувшинками. А потом ночь вдруг распалась на какие-то ручейки, протоки и та вода разнесла всех в разные стороны. А я не уходил. И ты тоже не уходила. И так, прождав полчаса, я наконец спросил:

— А, может, я вас провожу?

— Нет, — сказала женщина. — Я живу здесь рядам. Давайте лучше погуляем.

Ветер кружился над лесом, раскачивая высокие сосны.

— Красиво, — вдруг сказала женщина.

И я как всегда ответил:

— Да, вот если бы сфотографировать...

— А вы что, фотограф?

— Не, просто в книжке видел.

— Ну да, — разочарованно вздохнула женщина.

И мы замолчали.

Деревья отряхивались от ночного сна и

чуть слышно потягивались. Женщина тоже незаметно потянулась к небу, а я скинул пиджак, набросил ей на плечи. А она вдруг как-то рывком прижалась ко мне и застыла, ожидая моего движения.

А кругом было тихо... Падала роса... И в лице Маши тоже...

Да, она тоже плакала. И я сразу потерялся, забыл и совсем растаял в той росе и слезах.

Ну, конечно, я знал, как обращаться с женщиной. И сам не раз видел, как это делается.

Надо сразу опрокинуть её на спину. А потом она начнёт бить, трепетать пойманной рыбкой. И тут главное — не упустить её, удержать, пока не затихнет.

И, честно говоря, в своих снах я не раз представлял себе, как легко и просто я это всё сделаю.

И вот женщина ждала меня. А я не решался. Я не мог опрокинуть это плачущее лицо. И кроме того, я ещё смутно догадывался, отчего она плачет: и от своего унижения, что она, старая, пошла с таким мальчишкой. И в то же время ей было горько и радостно, что хоть такой есть.

Вот потому она и плакала. А мне стало стыдно и страшно, и я убежал.

***

На другой день дед спросил меня:

— Ты чего такой, точно сам спросонья?

Я забормотал что-то и вышел на улицу.

Петухи полоскали горло и Венька курчавился табачным дымком.

— Ну как вечёрка? — сладко вздохнул он.

— А ничего, всё в порядке.

— Я тебе чё говорил — не теряйся, внучёк.

Венька брызнул смешком и по-генеральски похлопал меня по плечу:

— Давай, внучёк.

В селе все меня звали так — внучёк. Дед мой держал меня в семинарской чистоте и строгости. И оттого, встречаясь с жизнью, я всегда робел. И если бы не та брага, которой угостили нас девчата, я ни за что не подошёл к Маше. И это совсем не я, а она, она, бесшабашная, шла к ней.

— А у тебя всё получилось? — вдруг строго спросил меня Венька?

И я затрепетал... А я ещё не умел врать в таких случаях и потому честно сказал:

— Понимаешь... Она заплакала.

350

— Дурак, — сплюнул Венька. — Бабы всегда плачут.

И тут я внезапно шкварнул его по лицу. И, вцепившись в пиджак, закричал:

— Убью, сволочь!

— Ах, втюрился, что ли? — здоровенный Венька отбросил меня к забору и дрыгая ногой, загудел: — Ну, ну...

А к вечеру уже всё село орало про меня частушку. А Венька специально проходил под нашими окнами, и тогда его гармонь растягивалась на весь проулок, раздвигая и расталкивая дома.

На вечёрки я с той поры не ходил и неизвестно чем бы всё кончилось. Да тут на побывку из госпиталя приехал Венькин брат Васька.

Весь в чёрном, в морском, торжественно проплыл он по селу, и ленточки его бескозырки оставили голубую немеркнущую полосу.

Всё село, как ожило, а к вечеру сам Венька, радостно щурясь, сказал:

— Да ладно. Было и прошло. Давай, приходи сегодня. Большая вечёрка будет. И Васька тоже придёт.

И хотя я ещё робел где-то, а всё-таки пошёл.

Васька сидел в окружении парней и

они, как щенята, счастливо повизгивали и заглядывали ему в лицо. Девушки стояли в отдалении и напряжённо ждали, кого пригласит, кого выберет моряк.

А Васька встал, качнулся и так, покачиваясь в такт музыке, подошёл... да, к Маше.

Отчего? Кто знает.

Наверное, она всех пронзительней и отчаянней пела: «Дроля мой, дроля мой...»

И верный моряк шёл на отчаянный зов. А я не знал, что делать. Встать, стукнуть Ваську, но он же не Венька. Он раненый моряк. А Машка уже прижалась к нему плечом.

И тут Венька неожиданно нашёл за меня выход:

— Смотри, к твоей подошёл. Значит, лучшая. Гордись!

И вот я, как ни странно, стал и правда гордиться. Важный ходил я теперь по селу и подобно Ваське раскачивал дома.

А через неделю Васька уехал. Мы провожали его всем селом. А в поезд нельзя было сесть. И какие-то моряки втащили его в окно вместе с чемоданом. А проводница бегала вокруг и кудахтала, как наседка: «Полундра окаянная».

А Маша всё подпрыгивала и пыталась

поймать Васькины ленточки, а они, дразня, улетали от неё. И тогда я поднял Машу. И она стала гладить ленточки, Васькино лицо, чемодан, оконную раму. И здесь поезд тронулся. Все побежали, и я тоже побежал, вместе с Машей. А она вытянулась во след поезду, и мы упали.

А после я вытирал рубахой её разбитое колено, и она гладила мой затылок.

Обратно мы шли тихо. Парни не спеша толковали о войне. А девчата, окружив Машу, чуть слышно пели: «Дроля, дроля мой».

А белые ночи всё не кончались. Они шли по земле, не зная ничего ни о войне, ни о любви, ни о том даже, что через год или два и мы, как Васька, уйдём на фронт и, может, не вернёмся больше. И это предчувствие грядущей гибели уже томило нас и всякий раз обжигало к ночи безотрадным весельем.

И переждав вечер после отъезда Васьки, мы вновь плясали, ухали. И лишь Маша сидела в стороне и след Васькиных ленточек окружал её голубым неприкосновенным кольцом. А я старательно избегал Машу, сторонился. Она подошла ко мне сама и, тихо взяв под локоть, сказала:

— Тебе привет от Васи.

Она, конечно, выдумала, но он ей теперь был самый родной человек. И она хотела говорить со мной о нём.

А через десять дней она уже спросила:

— Узнай, пожалуйста, у Веньки, а чего он пишет ему?

Веньку было спрашивать неудобно, но и Машу я тоже жалел. И тогда я сам стал сочинять и придумывать счастливую Васькину жизнь.

Вот, мол, вчера в море ходил, а сегодня потопил немецкий крейсер, и спасённые американцы угощали его за это коньяком и шоколадом. Красиво.

А вскоре мне и самому стала нравиться эта Васькина жизнь. И я уже, не стесняясь, опять плёл и про немецкий крейсер, и про американский шоколад.

Вот крейсер, он — чёрный. А шоколад цветной, на нём пальмы и девушка.

— Девушка, — ревниво вздохнула Маша. — А она красивая?

— Нет, ты, конечно, лучше. Ты наша, — и мы засмеялись.

С того дня мы разговаривали спокойно, родственно, и на всех вечёрках я шёл прямо к ней.

Но однажды я не застал её там. И

Веньки тоже не было. Я посидел немного и пошёл домой. И здесь в конце села я вдруг увидел...

Она сидела, согнувшись, и всё время почему-то раскачивалась взад, вперёд.

— Что с тобой? — спросил я, и в моём сердце стало скучно.

А она опять прильнула ко мне, но не так, как тогда, а осторожно и робко, как прибивает к берегу опавшие листья.

— Что с тобой? — повторил я снова.

И она завыла, словно ей сделали очень больно.

— Ваську у-у-убили, Венька сказал.

Ах, цветной шоколад, мальчишеское враньё. И если бы сейчас я мог соврать что-то, сказать, например, что Васька жив, что это просто ошиблась почта... Да только у меня самого холодели руки и печально блеял язык... Васька...

И опять падала где-то роса. И в лице женщины была та же роса: холодная, белая, та Васькина роса, 43-го года.

Эх, Маша-Мария, моя далёкая любовь...

ВОЕННЫЙ ОРКЕСТР

Это было в сороковом году. Я жил тогда в Москве, в Сокольниках с бабушкой. А ещё в нашей квартире была тётя Катя.

Раньше тётя больше дома сидела. А потом, как убили мужа, стала уходить куда-то.

Нарядится бывало, платочек накинет и пойдёт. А вернётся поздно. И бабушка ворчит:

— Где ходишь, полуночница?

Тётя всегда молчала на это. Но однажды ответит:

— Оркестр слушала.

Оркестр... я знал это слово. Раньше в майские праздники оркестры всегда гремели на моей улице. Кругом пели, и дома с флагами казались большими кораблями.

Теперь в городе светомаскировка. Все дома слепые, а на тёмных стёклах белые кресты, как повязки.

Однажды тётя Катя пришла чем-то расстроенная. Нехотя сняла косынку, ткнулась бабушке в плечо.

— Что с ней? — спросил я потом у бабушки.

Вечером я пошёл в парк вслед за тётей

Катей. Издали казалось, что там, за старыми тополями, кто-то тихо вздыхает. Подойдя ближе, я увидел трубы. Золотые, в сумерках, они блёкло светились.

Маленький оркестр играл что-то грустное. В тот год мой отец пропал без вести. Поэтому я и стал ходить в этот старый парк. А ещё сюда ходили раненые из госпиталя и молодые женщины.

Улыбки женщин походили на слабый огонёк. Они вспыхивали и тут же гасли. Раненых за войну сменилось много, а женщины были одни и те же.

Потом война кончилась. Раненые разъехались по домам. Госпиталь закрылся.

Но молодые женщины — приходили в парк. И для них по-прежнему на маленькой эстраде играл военный оркестр что-то грустное.

СОДЕРЖАНИЕ

СКАЗКИ-МАЛЮТКИ

КАК ЛЯГУШОНОК ИСКАЛ ПАПУ
Сказочные истории

ПРО ЧУДАКА ЛЯГУШОНКА

ДНЕВНИК МЕДВЕЖОНКА

ПРО ЦЫПЛЁНКА, СОЛНЦЕ И МЕДВЕЖОНКА

КАК ЛЯГУШКИ ЧАЙ ПИЛИ
Маленькие сказки

МИР ВОКРУГ ТЕБЯ
Серьёзные рассказы

СКАЗКИ СТАРИННОГО ГОРОДА
Взрослые сказки

РАССКАЗЫ И ПОВЕСТЬ О ВОЙНЕ

Для младшего и среднего школьного возраста

Геннадий Михайлович Цыферов

КАК ЛЯГУШОНОК ИСКАЛ ПАПУ

Сказки и маленькие сказочки,
сказочные истории, рассказы, повесть

Редактор *О. Муравьёва.* Художественный редактор *М. Салтыков*
Технический редактор *Т. Тимошина.* Корректор *И. Мокина*
Компьютерная вёрстка *С. Шеховцовой*

ООО «Издательство Астрель»
129085, г. Москва, проезд Ольминского, д. 3а

Наши электронные адреса: www.ast.ru
E-mail: astpub@aha.ru

Издание осуществлено при техническом
содействии ООО «Издательство АСТ»

Типография ООО «Полиграфиздат»
144003, г. Электросталь, Московская область, ул. Тевосяна, д. 25